Calorias de A a Z

Cristiane Cador Sana

EDITORA EKO

FICHA CATALOGRÁFICA ELABORADA PELA BIBLIOTECA CENTRAL DA FURB

Sana, Cristiane Cador
S197c Calorias de A a Z / Cristiane Cador Sana - Blumenau : Eko, 1999.
412p : il.
ISBN: 85-7324-465-8
1. Alimentos - Teor calórico. 2. Dietas. I. Título.

CDD 613.2

Editora EKO

Rua 7 de Setembro, 1760
89010-202 - Blumenau - SC
CNPJ: 03.163.884/0001-93
www.eko.com.br

ISBN: 85-7324-465-8

Impresso no Brasil

Capa: Free Comunicações
Diagramação/Editoração: Sk Plus Produções
Revisão: Cidália Maria Menon

Calorias de A a Z

Cristiane Cador Sana

EDITORA EKO

INTRODUÇÃO

A idéia de fazer este livro nasceu de uma necessidade própria e acredito que a de muitas pessoas: **emagrecer** com saúde, sem usar drogas. Comecei a buscar, ao longo de muitos anos, tabelas de calorias para que pudesse fazer uma alimentação adequada, sem engordar. A princípio, essas tabelas eram escassas mas, com o passar do tempo, começaram a aparecer em revistas, livros e Internet.

Escrevi para diversas fábricas solicitando o teor calórico de seus produtos; nem todas responderam. A consulta não era nada prática, surgindo aí a idéia de organizá-la por ordem alfabética e com medidas utilizadas no dia-a-dia, a fim de facilitar a consulta. Decidi, então, dividir isso com outras pessoas através da sua publicação. Houve apoio imediato da minha família, principalmente do meu irmão, acreditando que seria de muita utilidade para pessoas que desejam ***engordar, emagrecer ou manter seu peso.***

*Agradeço a **Deus** por iluminar meus caminhos e pela vida. Sua sabedoria rege as leis da natureza, fazendo com que tudo tenha sentido.*

IMPORTANTE

A tabela de A a Z deve servir como ***base*** para dietas de pessoas que desejam **ganhar, perder ou manter o peso.** Deve-se levar em consideração que os dados aqui fornecidos não são constantes, pois as receitas utilizadas não serão as mesmas. Os produtos industrializados e até os naturais podem sofrer alterações devido a fatores como tipo de solo, safra e período entre a obtenção e o processamento da matéria-prima. Os valores aqui apresentados constituem médias dos resultados obtidos; portanto, podem sofrer alterações.

COMO SABER SE VOCÊ ESTÁ GORDO ?

Você vai utilizar a tabela do PESO IDEAL. Ela estabelece um ÍNDICE de MASSA CORPORAL (IMC) que pode ser aplicado para qualquer pessoa, independentemente do sexo, da altura, do peso ou da idade.

Vamos usar como exemplo uma pessoa com 1,65 de altura e 70 Kg de peso:

1-Divida o peso em quilos pelo quadrado da altura, para encontrar o seu IMC. Exemplo:

70 KG/(1,65 X 1,65) = 25,7

2-O seu IMC é 25,7

3-Agora, aplique seu IMC na tabela a seguir.

IMC	PESO	GRAU DE OBESIDADE
Em 19 e 23,9	Normal	Não há obesidade.
Em 24 e 28,9	Acima do Normal	Obesidade leve.
Em 29 e 38,9	Excessivo	Obesidade elevada.
Mais de 39	Altíssimo	Obesidade mórbida que oferece riscos.

1 - Se você atingiu um **IMC** de 27,94, precisa emagrecer aproximadamente 8 quilos para entrar na faixa saudável.

2 - Quando a obesidade estiver associada a diabetes, colesterol elevado e triglicérides, o ideal é atingir a faixa boa de **IMC**, que é 23.

3 - Em média, precisamos de **30 calorias** por quilo de **peso ideal** (o equilíbrio entre massa magra e tecido gorduroso) para conservar o corpo como está. Portanto, se você tem 1,68 m de altura e pesa 60 quilos, está na faixa de normalidade. Assim, você pode comer até 1.800 calorias por dia (60 X 30 = 1800).

VEJA QUANTAS CALORIAS VOCÊ QUEIMA POR HORA DE ATIVIDADE.

ATIVIDADES NÃO ESPORTIVAS

ANDAR DEVAGAR	200	LIMPAR A CASA	260
ARRUMAR CAMAS	140	PASSAR ASPIRADDOR	175
COMER	105	PASSAR ROUPA	150
CORTAR LENHA	1200	PEDREIRO	440
COZINHAR	190	RELAÇÃO SEXUAL	700
CUIDAR DO JARDIM	350	SERVIR COMIDA	175
DANÇAR LENTAMENTE	220	SUBIR ESCADAS	1100
DAR AULA	220	TIRAR PÓ DOS MÓVEIS	126
DAR OU RECEBER UM BEIJO	12	TOCAR INSTRUMENTOS	180
DATILOGRAFAR	110	TOMAR CONTA DE CRIANÇAS	156
DESCANSAR DEITADO	77	TOMAR BANHO	280
DESCANSAR SENTADO	100	TRABALHAR EM PÉ	115
DESFILAR NO CARNAVAL	170	TRABALHAR NO CAMPO	500
DIRIGIR VEÍCULO	150	TRABALHAR NO ESCRITÓRIO	230
DORMIR	65	TRICOTAR OU COSTURAR	105
JOGAR BARALHO	105	TROCAR DE ROUPA	175
LAVAR LOUÇA	161	VARRER O CHÃO	175

ATIVIDADES ESPORTIVAS

AERÓBICA/ALTO IMPACTO	490	FLEXÕES	315
AERÓBICA/BAIXO IMPACTO	350	FUTEBOL	660
ALONGAMENTO	280	GOLFE	411
ALPINISMO	600	HALTEROFILISMO	500
ANDAR A CAVALO	175	HANDEBOL	530
ANDAR DE BICICLETA	400	JUDÔ	800
ARCO E FLECHA	234	HIDROGINÁSTICA	400
BADMINTON	468	MERGULHO	684
BALÉ	550	LEVANTAMENTO DE PESO	420
BASQUETE	580	NATAÇÃO	660
BICICLETA ERGOMÉTRICA	250	PESCA	280
BOXE	800	PÓLO AQUÁTICO	620
CAMINHADA	320	REMO	600
CANOAGEM	216	RÚGBI	630
CICLISMO	490	SQUASH	750
CICLISMO (CORRIDA)	730	STREET BALL	700
CIRCUIT-TRAINING	750	SURFE	210
CORRIDA (8KM/H)	530	TÊNIS	510
CORRIDA (12KM/H)	900	TÊNIS DE MESA	300
ESGRIMA	500	VÔLEI	420
ESQUI	510	VÔLEI DE PRAIA	560

LETRA A

ALIMENTO	TIPO	QTDE. PRÁTICA	MEDIDA	CALORIA
Abacate	verde	1/2 abacate médio	142 g	230,0 cal.
	roxo	1/2 abacate médio	200 g	192,0 cal.
Abacaxi	natural	1 fatia média	100 g	52,0 cal.
	em Calda	1 fatia média	100 g	122,0 cal.
	cristalizado	1 fatia média	100 g	316,0 cal.
	suco	1 copo	250 ml	135,0 cal.
		1/2 copo	125 ml	67,5 cal.
	suco Maguary	1 copo	250 ml	89,5 cal.
		1/2 copo	125 ml	44,7 cal.
	geléia	1 colher sopa	50 g	159,2 cal.
		1 colher chá	16,6 g	53,0 cal.
		1 colher café	8,3 g	26,5 cal.
	geléia Doce Menor	1 colher sopa	50 g	30,0 cal.

ALIMENTO	TIPO	QTDE. PRÁTICA	MEDIDA	CALORIA
Abacaxi		1 colher chá	16,6 g	9,9 cal.
		1 colher café	8,3 g	4,9 cal.
	bolo	1 fatia média	50 g	211,2 cal.
	bombom	1 bombom	15 g	44,9 cal.
	doce pasta	1 colher sopa	50 g	196,9 cal.
	torta	1 fatia média	80 g	206,0 cal.
Abóbora	crua	3 quadrados peq.	33,3 g	16,0 cal.
	cozida	1 colher sopa	33,3 g	13,3 cal.
		1/2 xícara chá	100 g	40,0 cal.
	torta	1 fatia média	100 g	206,6 cal.
	em Calda	1 pires cheio	150 g	426,0 cal.
		1 colher sopa	33,3 g	94,5 cal.
	semente	1 pires bem cheio	130 g	745,4 cal.

ALIMENTO	TIPO	QTDE. PRÁTICA	MEDIDA	CALORIA
		1 colher sopa	1 5 g	86,00 cal.
Abóbora	semente torrada	1 pires	100 g	433,0 cal.
		1 colher sopa	15 g	65,0 cal.
	purê	1 pires cheio	100 g	133,0 cal.
		1 colher sopa	33,3 g	44,3 cal.
	moranga cozida	1 colher sopa	33,3 g	6,2 cal.
		1/2 xícara chá	100 g	18,8 cal.
	doce	1 colher sopa	30 g	68,0 cal.
Abobrinha	verde c/ casca	1 pires cheio	100 g	27,8 cal.
		1 colher sopa	25 g	6,9 cal.
	rechead. c/ c.moída	1/2 média	80 g	146,5 cal.
	verde s/ casca	1 pires cheio	100 g	29,5 cal.
		1 colher sopa	25 g	7,4 cal.

ALIMENTO	TIPO	QTDE. PRÁTICA	MEDIDA	CALORIA
Abricó	natural	3 unidades	50 g	50,0 cal.
Açafrão	pó	1 colher sopa	25 g	84,2 cal.
		1 colher chá	4,5 g	15,3 cal.
		1 colher café	2,8 g	9,6 cal.
Açaí	polpa	1 fruta	33 g	81,5 cal.
	suco	1 copo	250 ml	456,0 cal.
		1/2 copo	125 ml	228,0 cal.
Acarajé	bolinho frito	1 médio	50 g	166,8 cal.
Acelga	folhas	1 folha c/ talo	30 g	5,7 cal.
	cozida	1 xícara de chá	180 g	30,0 cal.
Acém	cozido ou grelhado	1 pedaço médio	100 g	262,0 cal.
	assado	1 pedaço médio	100 g	185,0 cal.
	frito	1 pedaço médio	100 g	220,0 cal.

ALIMENTO	TIPO	QTDE. PRÁTICA	MEDIDA	CALORIA
Acerola	fresca	1 unidade	18 g	3,0 cal.
	suco	1 copo	250 ml	50,0 cal.
	suco Maguary	1/2 copo	125 ml	16,7 cal.
Achocolatado	Leco	1 caixa	200 ml	194,0 cal.
	Nescau Prontinho	1 caixa	200 ml	198,0 cal.
	Choco milk Batavo	1 caixa	200 ml	180,5 cal.
		1 lata	320 ml	281,6 cal.
	Toddynho	1 caixa	200 ml	200,0 cal.
	Parmalat	1 copo	250 ml	209,1 cal.
	Nesquik	1 caixa	200 ml	170,0 cal.
Açúcar	granulado	1 xícara	250 g	995,0 cal.
	granulado	1/2 xícara	125 g	497,5 cal.
		1 colher sopa	25 g	99,5 cal.

ALIMENTO	TIPO	QTDE. PRÁTICA	MEDIDA	CALORIA
Açúcar		1 colher chá	5,8 g	23,4 cal.
		1 colher café	3,5 g	14,2 cal.
	mascavo	1 xícara	220 g	783,2 cal.
		1/2 xícara	110 g	391,6 cal.
		1 colher sopa	14 g	49,8 cal.
		1 colher chá	4,6 g	16,3 cal.
		1 colher café	2,3 g	8,1 cal.
	refinado	1 xícara	180 g	716,4 cal.
		1/2 xícara	90 g	358,2 cal.
		1 colher sopa	33,3 g	132,5 cal.
		1 colher chá	7 g	27,86 cal.
		1 colher café	4 g	15,9 cal.
	light lowsugar	1 xícara	180 g	720,0 cal.

ALIMENTO	TIPO	QTDE. PRÁTICA	MEDIDA	CALORIA
Açúcar		1/2 xícara	90 g	360,0 cal.
		1 colher sopa	33,3 g	133,2 cal.
		1 colher chá	7 g	28,0 cal
		1 colher café	4 g	16,0 cal.
Adoçante	Adocyl Aspart. Líq.	1 colher café	5 gotas	0,4 cal.
	Adocyl Aspart. Pó	1 sachet	1,0 g	4,0 cal.
	Adocyl Líquido	1/2 colher café	3 gotas	0,0 cal.
	Adocyl Pó	1 sachet	0,75 g	2,4 cal.
	Assugrin Líquido	1/2 colher café	3 gotas	0,0 cal.
	Assugrin Pó	1 envelope	0,8 g	3,0 cal.
	Doce Menor Pó	1 envelope	0,8 g	3,0 cal.
	Frutak	1 envelope	1,3 g	4,5 cal.
	Gold Asp.Adoce Fácil	1 colher sopa	5 g	20,0 cal.

ALIMENTO	TIPO	QTDE. PRÁTICA	MEDIDA	CALORIA
Adoçante	Gold aspartame pó	1 envelope	0,8 g	3,0 cal.
	Tal e Qual	1 colher sopa	3 g	11,0 cal.
	Zero Cal	1 colher chá	10 g	1,0 cal.
	D. Menor líquido	1/2 colher de café	3 gotas	0,0 cal.
Agrião	fresco	1 pires	80 g	18,4 cal.
	cozido	1 xícara	180 g	20,0 cal.
Água	**potável, pura**	**NÃO POSSUI CALORIAS**		
	coco	1 copo	250 ml	51,5 cal.
	coco Sococo	1 caixa	200 ml	38,8 cal.
	tônica	1 copo	250 ml	77,1 cal.
	tônica diet	1 copo	250 ml	0,7 cal.
Aguardente	pura de cana	1 copo	250 ml	577,5 cal.
		1 copo próprio	50 ml	115,5 cal.

ALIMENTO	TIPO	QTDE. PRÁTICA	MEDIDA	CALORIA
		1 colher sopa	10 ml	23,1 cal.
	caipirinha/limão	1 copo próprio	150 ml	207,0 cal.
Aipim	bolinho	1 médio	30 g	57,0 cal.
	bolo	1 fatia	70 g	299,2 cal.
	cozido	1 médio	25 g	29,7 cal.
	frito	1 médio	25 g	88,0 cal.
	pão	1 fatia	40 g	119,2 cal.
	purê	1 pires	100 g	119,8 cal.
		1 colher sopa	33,3 g	39,9 cal.
Aipo	cozido	1 pires	100 g	20,0 cal.
		1 talo	15 g	3,0 cal.
	cru	1 talo	15 g	6,0 cal.
Alcachofra	cozida	1 inteira	120 g	60,0 cal.

ALIMENTO	TIPO	QTDE. PRÁTICA	MEDIDA	CALORIA
Alcaparra	conserva	1 colher sopa cheia	10 g	3,5 cal.
		1 colher chá cheia	2 g	0,7 cal.
Alcatra	assada ou grelhada	1 pedaço médio	100 g	200,0 cal.
	frita	1 pedaço médio	100 g	235,0 cal.
Aletria	cozida	1 pires cheio	120 g	79,9 cal.
Alexander	aperitivo	1 copo próprio	85 ml	185,0 cal.
Alface	manteiga	2 folhas médias	6,6 g	1,8 cal.
	romana	2 folhas médias	4,5 g	8,1 cal.
	crespa	2 folhas médias	15,2 g	1,0 cal.
	comum	2 folhas grandes	50 g	10,0 cal.
Alfafa	fresca	1 pires cheio	100 g	38,0 cal.
Alfavaca	seca	1 colher sopa	25 g	76,2 cal.
Algas	marinhas	1 pires	100 g	96,0 cal.

ALIMENTO	TIPO	QTDE. PRÁTICA	MEDIDA	CALORIA
Alho	natural	1 dente médio	5 g	6,7 cal.
		1 cabeça média	50 g	67,0 cal.
	poró cru	1 xícara	110 g	47,5 cal.
		1/2 xícara	55 g	23,7 cal.
	poró cozido	1 xícara de chá	100 g	30,0 cal.
		1/2 xícara de chá	50 g	15,0 cal.
	sal pasta	1 colher chá	8 g	8,0 cal.
	pó	1 colher sopa	10 g	14,0 cal.
	sal e salsa/pó	1 colher sopa	15 g	24,0 cal.
	tablete	1 unidade	12 g	29,0 cal.
Almeirão	fresco	1 pires cheio	100 g	20,0 cal.
	cozido	1 pires cheio	150 g	22,0 cal.
Almôndegas	c/ molho	2 médias	120 g	297,0 cal.

ALIMENTO	TIPO	QTDE. PRÁTICA	MEDIDA	CALORIA
Almôndegas	fritas	2 médias	80 g	108,0 cal.
	ao sugo Sadia	2 unidades	50 g	61,0 cal.
	chester Perdigão	2 unidades	50 g	117,0 cal.
	frango Sadia	2 unidades	50 g	116,0 cal.
	peru Sadia	2 unidades	50 g	92,0 cal.
	porco	2 unidades	50 g	283,0 cal.
Amanteigados	biscoitos	1 médio	25 g	101,0 cal.
Ambrosia	fogo e forno	1 pires	110 g	281,0 cal.
		1 colher sopa	20 g	51,0 cal.
Ameixa	amarela	1 grande	60 g	53,4 cal.
	em calda	1 grande	60 g	70,5 cal.
	seca	1 grande	60 g	112,2 cal.
	suco	1 copo	250 ml	197,0 cal.

ALIMENTO	TIPO	QTDE. PRÁTICA	MEDIDA	CALORIA
Ameixa		1/2 copo	125 ml	98,5 cal.
	suco concent. lata	1 copo	250 ml	294,7 cal.
		1/2 copo	125 ml	147,3 cal.
	preta	1 grande	60 g	25,8 cal.
	purê	1 pires	100 g	172,0 cal.
		1 colher sopa	25 g	43,0 cal.
	da Pérsia	1 grande	50 g	28,1 cal.
	vermelha	1 grande	60 g	32,4 cal.
Amêndoa	natural	5 unidades	50 g	320,0 cal.
	doce	5 unidades	50 g	308,5 cal.
	torradas c/ sal	5 unidades	50 g	300,0 cal.
Amêndoa	bombom	1 médio	15 g	70,7 cal.
	petit-four	10 unidades	50 g	230,0 cal.

ALIMENTO	TIPO	QTDE. PRÁTICA	MEDIDA	CALORIA
Amêndoa	bolo	1 fatia média	70 g	378,0 cal.
Amendoim	amarelo cru	1/2 xícara chá	60 g	346,0 cal.
		12 amendoins	0,4 g	23,0 cal.
	cozido	1/2 xícara chá	60 g	141,0 cal.
		12 amendoins	0,4 g	9,4 cal.
	japonês	1 pacote / Fritex	200 g	469,0 cal.
	torrado c/ sal	1/2 xícara chá	60 g	357,0 cal.
	torrado c/ sal	12 amendoins	0,4 g	23,8 cal.
	caramelizado	1/2 xícara de chá	55 g	245,3 cal.
		12 amendoins	0,3 g	13,3 cal.
	creme	1 colher sopa	30 g	175,0 cal.
		1 colher sobremesa	18 g	105,3 cal.
	óleo	1 xícara chá	200 ml	1768,1 cal.

ALIMENTO	TIPO	QTDE. PRÁTICA	MEDIDA	CALORIA
Amendoim		1/2 xícara chá	100 ml	884,0 cal.
		1 colher sopa	14 ml	123,7 cal.
Americano	sanduíche	1 completo	150 g	458,0 cal.
Amido	de arroz	1 xícara chá	100 g	351,8 cal.
		1/2 xícara chá	50 g	175,9 cal.
		1 colher sopa	10 g	35,1 cal.
	de batata inglesa	1 xícara chá	200 g	660,0 cal.
		1/2 xícara chá	100 g	330,0 cal.
		1 colher sopa	20 g	66,0 cal.
	de milho	1 xícara chá	120 g	394,0 cal.
		1/2 xícara chá	60 g	197,0 cal.
		1 colher sopa	15 g	49,2 cal.
Amora	branca,preta,vermelha.	1 pires cheio	130 g	79,3 cal.

ALIMENTO	TIPO	QTDE. PRÁTICA	MEDIDA	CALORIA
Amora	em calda	1 pires cheio	130 g	106,9 cal.
	geléia	1 colher sopa	50 g	116,7 cal.
		1 c. de chá cheia	16,6 g	38,9 cal.
		1 c. de café cheia	8,3 g	19,4 cal.
Ananás	fresco	1 fatia média	90 g	50,8 cal.
Apfelstrudel	maçã	1 fatia	80 g	257,0 cal.
Aperitivo	St Remy	1 copo próprio	50 ml	80,0 cal.
Apresuntado	Batavo	1 fatia	20 g	25,2 cal.
	Sadia	1 fatia	20 g	33,3 cal.
	Seara	1 fatia	20 g	28,0 cal.
Araruta	farinha	1 xícara chá	100 g	344,0 cal.
		1 colher sopa cheia	20 g	68,8 cal.
		1 colher chá cheia	4,5 g	15,4 cal.

ALIMENTO	TIPO	QTDE. PRÁTICA	MEDIDA	CALORIA
Arenque	peixe defumado	1 filé médio	100 g	290,0 cal.
	assado ou grelhado	1 filé médio	100 g	200,0 cal.
	molho de tomate	1 filé médio	100 g	173,1 cal.
	escabeche	1 colher sopa	31 g	69,1 cal.
	conserva	1 pires	200 g	416,0 cal.
	salgado	1 filé médio	100 g	218,0 cal.
Arroz	cozido	1 xícara chá	125 g	109,6 cal.
		1 c. grande de servir	50 g	54,8 cal.
		1 colher sopa	25 g	27,4 cal.
	c/ camarão	1 xícara chá	150 g	374,0 cal.
		1 c. grande de servir	65 g	162,0 cal.
		1 colher sopa	25 g	74,8 cal.
	c/ mexilhão	1 xícara chá	150 g	435,0 cal.

ALIMENTO	TIPO	QTDE. PRÁTICA	MEDIDA	CALORIA
Arroz		1 c. grande de servir	65 g	188,5 cal.
		1 colher sopa	25 g	72,5 cal.
	chop-suey	1 xícara chá	100 g	170,0 cal.
		1 colher sopa	25 g	42,5 cal.
	c/ lentilha	1 xícara chá	100 g	187,5 cal.
		1 colher sopa	25 g	46,8 cal.
	árabe c/ amêndoas	1 colher sopa	100 g	310,0 cal.
		1 xícara chá	25 g	77,5 cal.
	c/brócolis e manteiga . . .	1 xícara chá	100 g	300,0 cal.
		1 colher sopa	25 g	75,0 cal
	c/gergelim	1 xícara chá	100 g	330,0 cal.
		1 colher sopa	25 g	82,5 cal.
	carreteiro	1 xícara chá	150 g	496,0 cal.

ALIMENTO	TIPO	QTDE. PRÁTICA	MEDIDA	CALORIA
Arroz		1 c. grande de servir	65 g	214,9 cal.
		1 colher sopa	25 g	99,2 cal.
	c/ suã	1 xícara chá	150 g	595,0 cal.
	c/ suã	1 c. grande de servir	65 g	257.8 cal.
		1 colher sopa	25 g	99,1 cal.
	c/ feijão	1 xícara chá	130 g	243,5 cal.
		1 c. grande de servir	60 g	112,5 cal.
		1 colher sopa	30 g	56,2 cal.
	integral	1 xícara chá	125 g	440,5 cal.
		1 c. grande de servir	50 g	176,2 cal.
		1 colher sopa	25 g	88,1 cal.
	c/ lulas	1 xícara chá	150 g	334,0 cal.
		1 c. grande de servir	65 g	144,7 cal.

ALIMENTO	TIPO	QTDE. PRÁTICA	MEDIDA	CALORIA
Arroz		1 colher sopa	25 g	68,3 cal.
	à grega	1 xícara chá	150 g	256,5 cal.
		1 c. grande de servir	65 g	111,1 cal.
		1 colher sopa	25 g	42,7 cal.
	bolo	1 fatia média	55 g	154,5 cal.
	bolinho	1 médio	30 g	71,4 cal.
	doce	1 pires cheio	120 g	141,0 cal.
	pão	1 fatia média	35 g	124,2 cal.
	pudim	1 fatia média	100 g	230,0 cal.
Aspargo	conserva	2 grandes	70 g	11,2 cal.
	cozido	2 grandes	70 g	12,6 cal.
	cru	2 grandes	70 g	15,8 cal.
	creme c/ leite	1 xícara de chá	120 g	161,0 cal.

ALIMENTO	TIPO	QTDE. PRÁTICA	MEDIDA	CALORIA
Atum	cru	1 posta	100 g	146,0 cal.
	grelh.margar.tomate	1 porção média	100 g	199,0 cal.
	conserva no óleo	1 colher sopa	25 g	65,6 cal.
		1 c. de sobremesa	12,5 g	32,8 cal.
		1 colher chá	6,2 g	16,4 cal.
	ralado Coqueiro	1 lata	170 g	316,2 cal.
		1 colher sopa	25 g	46,5 cal.
	sólido Coqueiro	em água/ 1 lata	130 g	149,5 cal.
		1 colher sopa	25 g	28,7 cal.
	sólido Coqueiro	em óleo/ 1 lata	170 g	255,0 cal.
		1 colher sopa	25 g	37,5 cal.
	espeto ceb.,tom.,maçã	1 c/4 pedaç. peixe	80 g	132,0 cal.
Aveia	flocos finos	1 xícara de chá	100 g	390,0 cal.

ALIMENTO	TIPO	QTDE. PRÁTICA	MEDIDA	CALORIA
Aveia		1 colher sopa	14,2 g	55,3 cal.
	Quaker choc.,cast.	1 xícara	100 g	160,0 cal
		1 colher sopa	14,2 g	22,7 cal.
	Quaker canela,passas	1 xícara chá	100 g	148,0 cal.
		1 colher sopa	14,2 g	21,0 cal.
	Quaker caram.,maçã	1 xícara chá	100 g	144,0 cal.
		1 colher sopa	14,2 g	20,4 cal.
	Quaker mel,aveia,cast	1 xícara chá	100 g	166,0 cal.
		1 colher sopa	14,2 g	23,5 cal.
	Otker Oat Bran	1 xícara de chá	100 g	321,0 cal.
		1 colher sopa	14,2 g	45.5 cal.
	Otker flocos finos	1 xícara chá	100 g	390,0 cal
		1 colher sopa	14,2 cal.	55,3 cal.

ALIMENTO	TIPO	QTDE. PRÁTICA	MEDIDA	CALORIA
Aveia	bolo	1 fatia média	55 g	162,7 cal.
		10 médias	15 g	94,9 cal.
		1 média	1,5 g	9,4 cal.
Azedinha	fresca	1 pires cheio	80 g	20,0 cal.
	crespa	1 pires cheio	80 g	19,2 cal.
	cozida	1 xícara chá	100 g	15,3 cal.
Azeite	dendê	1 xícara chá	200 ml	1756,0 cal.
		1/2 xícara chá	100 ml	878,0 cal.
		1 colher sopa	14 ml	122,9 cal.
	oliva	1 xícara chá	200 ml	1800,0 cal.
		1/2 xícara chá	100 ml	900,0 cal.
		1 colher sopa	14 ml	126,0 cal.
Azeitona	verde conserva	1 média	2,7 g	3,7 cal.

ALIMENTO	TIPO	QTDE. PRÁTICA	MEDIDA	CALORIA
Azeitona	preta conserva	1 média	2,7 g	5,4 cal.
	verde Jurema	10 unidades	27 g	14,0 cal.

LETRA B

ALIMENTO	TIPO	QTDE. PRÁTICA	MEDIDA	CALORIA
Baba-de-Moça	doce	1 taça	150 gr.	615,0 cal.
Babaganuche	pasta de berinjela	1 colher sopa	20 g	74,0 cal.
Babeurre	soro creme de leite ácido	1 xícara	200 ml	62,6 cal.
		1/2 xícara	100 ml	31,3 cal.
		1 colher sopa	10 ml	3,1 cal.
	soro creme de leite doce	1 xícara	200 ml	69,6 cal.
		1/2 xícara	100 ml	34,8 cal.
		1 colher sopa	10 ml	3,4 cal.
Baby Beef	assado	2 fatias	120 g	240,0 cal.
Bacalhau	assado ou grelhado	1 posta	100 g	110,0 cal.
	cru	1 posta	100 g	95,0 cal.
	salgado e prensado	1 posta	150 g	253,9 cal.
	cozido	1 posta	150 g	111,4 cal.

ALIMENTO	TIPO	QTDE. PRÁTICA	MEDIDA	CALORIA
Bacalhau	ao Brás	1 posta	150 g	633,0 cal.
	à provençal	1 posta	150 g	455,0 cal.
	bolinho	1 médio	30 g	159,0 cal.
	lata Ramirez-azeite	1 lata	120 g	208,8 cal.
		1 colher sopa	25 g	43,5 cal.
Bacon	c/ pouca gordura	1 pires	100 g	445,4 cal.
		1 fatia	5 g	22,2 cal.
	muita gord. defum.	1 pires	100 g	569,6 cal.
		1 fatia	5 g	28,4 cal.
	grelhado	1 pires	80 g	933,3 cal.
		1 fatia	3 g	35,0 cal.
Badejo	peixe cru	1 filé	100 g	96,5 cal.
	cozido	1 filé	100 g	130,9 cal.

ALIMENTO	TIPO	QTDE. PRÁTICA	MEDIDA	CALORIA
Badejo	c/ alcaparras	1 filé	100 g	159,0 cal.
Bagre	seco ao sol	1 filé	100 g	311,0 cal.
	cozido	1 filé	100 g	120,0 cal.
	empanado e frito	1 filé	100 g	226,0 cal.
Baguete	pão	1 fatia	35 g	70,0 cal.
	c/gergelim	1 fatia	35 g	82,0 cal.
Bala	dura	1 unidade	4,5 g	40,0 cal.
	caramelo	1 unidade	4 g	43,0 cal.
	caramelo ao leite	1 unidade	3,4 g	21,0 cal.
	caramelo Lacta	1 Frumelo	4,5 g	19,0 cal.
	caramelo Nestlé	1 de chocolate	5 g	20,0 cal.
		1 de coco	5 g	20,0 cal.
		1 de leite	5 g	20,0 cal.

ALIMENTO	TIPO	QTDE. PRÁTICA	MEDIDA	CALORIA
Bala	goma	1 unidade	3,7 g	13,0 cal.
	recheada Mirabel	1 unidade	5,5 g	27,0 cal.
	Halls	1 unidade	3,5 g	19,0 cal.
	Mentex	1 unidade	2,3 g	15,0 cal.
	Soft	1 unidade	2,0 g	20,0 cal.
	Paulistinha	1 unidade	2 g	12,0 cal.
	recheada	1 unidade	3,5 g	22,0 cal.
	marshmallow	1 unidade	3,5 g	22,0 cal.
	Kid's Hortelã	1 unidade	1,5 g	9,0 cal.
	gergelim	1 unidade	2 g	18,0 cal.
	leite Kopenhagen	1 unidade	2,5 g	36,0 cal.
	Delicado	1 unidade	0,8 g	11,0 cal.
	Tic Tac/menta/laranja	1 tic tac	0,4 g	1,9 cal.

ALIMENTO	TIPO	QTDE. PRÁTICA	MEDIDA	CALORIA
Bala	frutas Kopenhagen	1 unidade	2,5 g	32,0 cal.
	Jujuba	1 unidade	0,8 g	8,0 cal.
	Kid's leite	1 unidade	3,5 g	28,0 cal.
	Kid's hortelã	1 unidade	3,5 g	9,0 cal.
	hortelã	1 unidade	3 g	20,0 cal.
	Fantasia	1 unidade	4 g	19,0 cal.
	Jelly Sweet	1 unidade	3 g	10,0 cal.
	Dragées Cer. Visconti	1 pacote	50 g	164,0 cal.
	dietética	1 unidade	2 g	4,8 cal.
	Halls diet	1 unidade	3,5 g	8,0 cal.
	Minus diet	1 unidade	2,5 g	4,0 cal.
	No Sugar	1 unidade	1,5 g	1,0 cal.
	Flópi qualquer sabor	1 unidade	1,5 g	4,6 cal.

ALIMENTO	TIPO	QTDE. PRÁTICA	MEDIDA	CALORIA
Bambu	brotos	1 pires	100 g	35,4 cal.
Banana	verde	1 pequena	50 g	61,0 cal.
	d'água	1 grande	110 g	104,5 cal.
	d' água frita	1/2 grande	55 g	159,5 cal.
	da terra	1 grande	100 g	105,0 cal.
	da terra frita	1/2 grande	50 g	122,5 cal.
	maçã	1 pequena	45 g	51,3 cal.
	maçã frita	1 pequena	45 g	141,7 cal.
	nanica	1 grande	100 g	95,0 cal.
	nanica à milanesa	1/2 grande	50 g	154,0 cal.
	nanica caramelada	1/2 grande	50 g	125,0 cal.
	nanica frita c/ açúcar	1/2 grande	50 g	145,0 cal.
	ouro	1 pequena	45 g	71,3 cal.

ALIMENTO	TIPO	QTDE. PRÁTICA	MEDIDA	CALORIA
Banana	ouro frita	1 pequena	45 g	214,2 cal.
	prata	1 pequena	55 g	53,4 cal.
	prata frita	1 pequena	55 g	161,7 cal.
	caramelada	1 média	75 g	476,6 cal.
	split	completa	250 g	843,0 cal.
	bolo	1 fatia	70 g	168,0 cal.
	torta	1 fatia	100 g	347,0 cal.
	doce em calda	1 porção	100 g	330,0 cal.
	assada c/ açúcar	1 unidade	70 g	140,0 cal.
	doce c/ chocolate	1 colher sopa	30 g	68,0 cal.
	doce	1 colher sopa	30 g	62,3 cal.
	seca	1 unidade	30 g	65,0 cal.
Bananada	doce	1 colher sopa	50 g	144,1 cal.

ALIMENTO	TIPO	QTDE. PRÁTICA	MEDIDA	CALORIA
Bananada	doce	1 colher sobremesa	25 g	72,0 cal.
		1 colher chá	16,6 g	47,8 cal.
Banha	galinha	1/2 xícara	100 g	900,0 cal.
		1 colher sopa	25 g	225,0 cal.
	porco	1/2 xícara	100 g	900,0 cal.
		1 colher sopa	25 g	225,0 cal.
	Sadia	1/2 xícara	100 g	895,0 cal.
		1 colher sopa	25 g	223,7 cal.
	pão de	1 fatia	35 g	150,0 cal.
Batata Doce	amarela assada	1 média	220 g	315,4 cal.
		1/2 média	110 g	157,7 cal.
	amarela frita	1 pires	100 g	368,0 cal.
		1 colher sopa	33,3 g	122,6 cal.

ALIMENTO	TIPO	QTDE. PRÁTICA	MEDIDA	CALORIA
Batata-Doce	branca cozida	1 média	220 g	275,2 cal.
		1/2 média	110 g	137,6 cal.
	roxa assada	1/2 média	100 g	95,0 cal.
	doce caseiro	1 pedaço	60 g	141,0 cal.
	doce industrializado	1 pedaço	60 g	142,8 cal.
	doce pasta	1 colher sopa	30 g	77,0 cal.
	bolo	1 fatia	70 g	317,0 cal.
	folhas cozidas	1 xícara	150 g	75,0 cal.
	pão	1 fatia	40 g	125,5 cal.
	pudim	1 fatia	100 g	290,0 cal.
	purê	1 pires	100 g	212,3 cal.
		1 colher sopa	33,3 g	70,7 cal.
Batata Inglesa	cozida	1 pires	150 g	128,7 cal.

ALIMENTO	TIPO	QTDE. PRÁTICA	MEDIDA	CALORIA
Batata Inglesa	cozida	1 média inteira	60 g	51,5 cal.
		1/2 média	30 g	25,7 cal.
	sauté c/marg. light	2 unidades pequenas	50 g	60,0 cal.
	corada	1 pires	200 g	458,0 cal.
		1 pequena	25 g	57,2 cal.
	ensopada	1 pires	190 g	425,0 cal.
		1 pequena	25 g	55,9 cal.
	gratinada	1 pires	100 g	200,0 cal.
		1 pequena	25 g	25,0 cal.
	cozida c/ manteiga	1 grande	120 g	730,0 cal.
	cozida c/ bacon	1 grande	120 g	622,0 cal.
	assada cebola c. leite	1 grande	100 g	251,0 cal.
	assada c/ casca	1 média	60 g	220,0 cal.

ALIMENTO	TIPO	QTDE. PRÁTICA	MEDIDA	CALORIA
Batata Inglesa	recheada camembert	1 grande	150 g	623,0 cal.
	recheada c/ champignon	1 grande	150 g	523,0 cal.
	recheada cheddar	1 grande	150 g	451,0 cal.
	recheada frango	1 grande	150 g	706,0 cal.
	recheada gorgonzola	1 grande	150 g	724,0 cal.
	recheada provolone	1 grande	150 g	624,0 cal.
	recheada requeijão	1 grande	150 g	721,0 cal.
	recheada strogonoff	1 grande	150 g	673,0 cal.
	frita caseira	1 pires	100 g	274,0 cal.
		1 pedaço fino	3,3 g	9,0 cal.
	frita Mc Donald's	1 porção pequena		171,0 cal.
	frita Mc Donald's	1 porção média		225,0 cal.
	frita Mc Donald's	1 porção grande		395,0 cal.

ALIMENTO	TIPO	QTDE. PRÁTICA	MEDIDA	CALORIA
Batata Inglesa	Ruffles	1 pacote	80 g	424,0 cal.
	Ruffles cebola	1 pacote	80 g	405,0 cal.
	Ruffles presunto	1 pacote	80 g	404,0 cal.
	Chips	1 unidade	1,5 g	8,1 cal.
	Pringles Original	1 unidade	1,5 g	11,4 cal.
	Pringles Barbecue	1 unidade	1,5 g	10,7 cal.
	Pringles Right	1 unidade	1,5 g	8,7 cal.
	fécula	1 xícara	150 g	498,0 cal.
		1/2 xícara	75 g	249,0 cal.
		1 colher sopa	18,7 g	62,2 cal.
	maionese	1 pires	150 g	360,0 cal.
		1 colher sopa	50 g	120,0 cal.
	nhoque	1 pires	100 g	174,2 cal.

ALIMENTO	TIPO	QTDE. PRÁTICA	MEDIDA	CALORIA
Batata Inglesa	nhoque	1 colher sopa	40 g	69,7 cal.
	nhoque c/ molho	1 pires	100 g	232,8 cal.
		1 colher sopa	40 g	93,1 cal.
	palha	1 xícara	35 g	190,0 cal.
	palha Fritex	1 porção	100 g	726,0 cal.
	pão	1 fatia	50 g	138,5 cal.
	purê	1 pires	100 g	118,0 cal.
		1 colher sopa	33,3 g	39,3 cal.
	sopa	1 prato	250 ml	353,3 cal.
Batata Salsa	cozida	1 pires cheio	150 g	187,5 cal.
		1 colher sopa	50 g	62,5 cal.
Batidas	em geral	1 copo próprio	85 ml	214,2 cal.
Beirute	sanduíche	1 unidade	400 g	584,0 cal.

ALIMENTO	TIPO	QTDE. PRÁTICA	MEDIDA	CALORIA
Beirute	c/mignon	1 unidade	450 g	872,0 cal.
Berinjela	crua	1 unidade	250 g	489,0 cal.
		1 pires cheio	120 g	234,7 cal.
		1 colher sopa	35 g	68,4 cal.
	ao forno	1 rodela grossa	50 g	125,0 cal.
	conserva cozida	1 pires cheio	120 g	22,8 cal.
		1 colher sopa	35 g	6,6 cal.
	conserva c/ azeite	1 pires cheio	120 g	276,0 cal.
		1 colher sopa	35 g	80,5 cal.
	pasta de	1 colher sopa	20 g	74,0 cal.
	recheada c/ pimentão	1/2 berinjela	150 g	90,0 cal.
Beterraba	crua	1 pires cheio	120 g	58,6 cal.
		1 colher sopa	40 g	19,5 cal.

ALIMENTO	TIPO	QTDE. PRÁTICA	MEDIDA	CALORIA
Beterraba	cozida	1 pires cheio	120 g	52,9 cal.
		1 colher sopa	40 g	17,6 cal.
	conserva	1 pires cheio	120 g	43,3 cal.
		1 colher sopa	40 g	14,4 cal.
	folhas cozidas	1 xícara chá	140 g	40,0 cal.
	purê	1 pires cheio	100 g	36,9 cal.
		1 colher sopa	33,3 g	12,3 cal.
	suco	1 copo	250 ml	102,1 cal.
Bife	frito	1 pedaço médio	100 g	172,5 cal.
	à milanesa	1 pedaço médio	120 g	478,5 cal.
	à parmegiana	1 pedaço médio	120 g	485,0 cal.
	rolê	1 pedaço médio	100 g	221,0 cal.
Blanquet	peru Sadia	1 fatia	5,5 g	7,0 cal.

ALIMENTO	TIPO	QTDE. PRÁTICA	MEDIDA	CALORIA
Bolacha	doce	1 média (geral)	8,3 g	31,5 cal.
		1 amanteigada	8,3 g	33,5 cal.
		1 amendoim	8,3 g	50,0 cal.
		1 araruta	8,3 g	25,0 cal.
		1 aveia e mel	8,3 g	29,0 cal.
		1 baunilha	8,3 g	20,0 cal.
		1 canela	10 g	29,0 cal.
		1 champanhe	8,3 g	44,0 cal.
		1 chocolate	8,3 g	50,0 cal.
		1 Chocolícia	13 g	71,0 cal.
		1 coco	8,3 g	39,0 cal.
		1 cream cracker	8,3 g	30,0 cal.
		1 Danyt's leite	6,0 g	27,3 cal.

ALIMENTO	TIPO	QTDE. PRÁTICA	MEDIDA	CALORIA
Bolacha	doce	1 farinha integral	8,3 g	33,4 cal.
		1 fubá	10 g	11,0 cal.
		1 gengibre	10 g	18,0 cal.
		1 glúten	8,3 g	29,0 cal.
		1 leite	10 g	24,0 cal.
		1 leite e mel	10 g	38,0 cal.
		1 maisena	5 g	21,2 cal.
		1 Maria	8,3 g	26,0 cal.
		1 Negresco	13,3 g	55,0 cal.
		1 recheada chocolate	10 g	47,4 cal.
		1 recheada goiaba	10 g	56,0 cal.
		1 recheada morango	10 g	48,3 cal.
		1 ricota	20 g	77,0 cal.

ALIMENTO	TIPO	QTDE. PRÁTICA	MEDIDA	CALORIA
Bolacha	doce	palitinhos/pacote	100 g	383,0 cal.
Biscoito/bolacha		1 polvilho pequeno	1,2 g	5,2 cal.
	doces	Petit-four	50 g	230,0 cal.
		1 sequilho	15 g	32,0 cal.
	dietético	1 grande	6 g	25,0 cal.
		1 médio	1,6 g	2,0 cal.
	salgado	1 médio geral	6,4 g	22,9 cal.
		1 d'água	6,4 g	25,7 cal.
		1 água e sal	6,4 g	25,4 cal.
		1 de aveia	6,4 g	27,5 cal.
		1 biscuí Bauduco	4,5 g	10,0 cal.
		1 Triggy Nabisco	6,2 g	27,7 cal.
		1 cream cracker	6,4 g	26,2 cal.

ALIMENTO	TIPO	QTDE. PRÁTICA	MEDIDA	CALORIA
Biscoito/bolacha		1 queijo	6,4 g	30,2 cal.
		1 Salclic aperitivo	4,8 g	11,0 cal.
		1 Salclic tradicional	4,8 g	25,0 cal.
		1 Salclic integral	4,8 g	23,0 cal.
Bloody Mary	coquetel	1 copo próprio	100 ml	130,0 cal.
Bolos	abacaxi	1 fatia média	50 g	211,2 cal.
	aipim	1 fatia média	70 g	299,2 cal.
	amêndoas	1 fatia média	50 g	148,0 cal.
	ameixas	1 fatia média	50 g	245,0 cal.
	arroz	1 fatia média	55 g	196,7 cal.
	aveia	1 fatia média	55 g	162,7 cal.
	banana	1 fatia média	70 g	168,0 cal.
	batata-doce	1 fatia média	70 g	317,0 cal.

ALIMENTO	TIPO	QTDE. PRÁTICA	MEDIDA	CALORIA
Bolos	castanhas	1 fatia média	70 g	300,0 cal.
	chocolate	1 fatia média	70 g	300,3 cal.
	coco	1 fatia média	55 g	256,6 cal.
	floresta negra	1 fatia média	70 g	279,0 cal.
	fubá	1 fatia média	60 g	194,5 cal.
	frutas	1 fatia média	50 g	176,6 cal.
	inglês	1 fatia média	60 g	267,0 cal.
	laranja	1 fatia média	50 g	177,5 cal.
	limão	1 fatia média	50 g	265,0 cal.
	maçã	1 fatia média	65 g	295,2 cal.
	maracujá	1 fatia média	50 g	158,0 cal.
	mármore	1 fatia média	70 g	187,4 cal.
	milho	1 fatia média	60 g	203,0 cal.

ALIMENTO	TIPO	QTDE. PRÁTICA	MEDIDA	CALORIA
Bolos	batata-doce	1 fatia	70 g	317,0 cal.
	nozes	1 fatia	50 g	260,0 cal.
	cenoura c/ chocolate	1 fatia	50 g	371,0 cal.
	cenoura s/ cobertura	1 fatia	50 g	189,0 cal.
	café c/ chocolate	1 fatia	50 g	281,0 cal.
	pão-de-ló	1 fatia	50 g	251,0 cal.
	panetone	1 fatia	65 g	186,4 cal.
	pêssego	1 fatia	55 g	249,0 cal.
	polvilho	1 fatia	50 g	108,0 cal.
	tapioca	1 fatia	60 g	201,6 cal.
	trigo	1 fatia	60 g	203,4 cal.
	xadrez	1 fatia	70 g	372,0 cal.
Bolinho	aipim	1 unidade	30 g	57,0 cal.

ALIMENTO	TIPO	QTDE. PRÁTICA	MEDIDA	CALORIA
Bolinho	arroz	1 unidade	30 g	71,4 cal.
	bacalhau	1 unidade	30 g	159,0 cal.
	camarão	1 unidade	30 g	116,0 cal.
	de chuva	1 unidade	30 g	52,0 cal.
	queijo	1 unidade	30 g	79,5 cal.
	carne moída	1 unidade	20 g	57,0 cal.
	siri	1 unidade	30 g	85,0 cal.
Bomba	chocolate	1 unidade	75 g	187,2 cal.
	cobertura chantili	1 unidade	80 g	296,0 cal.
Bombom	abacaxi	1 médio	15 g	44,9 cal.
	amêndoa	1 médio	15 g	70,7 cal.
	brigadeiro	1 médio	15 g	75,5 cal.
	coco	1 médio	15 g	51,4 cal.

ALIMENTO	TIPO	QTDE. PRÁTICA	MEDIDA	CALORIA
Bombom	crocante	1 médio	15 g	53,0 cal.
	damasco	1 médio	15 g	50,0 cal.
	marzipã	1 médio	15 g	96,0 cal.
	trufas	1 médio	20 g	89,0 cal.
	uva	1 médio	18 g	59,9 cal.
	Lacta	1 Amandita	8 g	43,0 cal.
		1 bola de amendoim	21,5 g	115,0 cal.
		1 bola de avelã	21,5 g	116,0 cal.
		1 bola de coco	21,5 g	121,0 cal.
		1 bola de leite	21,5 g	116,0 cal.
		1 bolinha	6 g	32,0 cal.
		1 Disney	15 g	67,0 cal.
		1 Sonho de Valsa	21,5 g	115,0 cal.

ALIMENTO	TIPO	QTDE. PRÁTICA	MEDIDA	CALORIA
Bombom	Lacta	1 Ouro Branco	21,5 g	114,0 cal.
		1 Feitiço	21,5 g	113,0 cal.
		1 Bis	7,5 g	39,0 cal.
		1 Bowling	21,5 g	115,0 cal.
		1 Poème	11 g	62,0 cal.
		1 Ouro preto	11 g	59,0 cal.
		1 Fricote	15 g	72,0 cal.
		1 Pelé	15 g	73,0 cal.
	Nestlé	1 Alpino c/leite	13 g	70,0 cal.
		1 Alpino branco	13 g	73,3 cal.
		1 Crunch	9 g	48,0 cal.
		1 Diplomata	11 g	60,0 cal.
		1 Galak	10 g	56,0 cal.

ALIMENTO	TIPO	QTDE. PRÁTICA	MEDIDA	CALORIA
Bombom		1 Lococo	14 g	64,0 cal.
		1 Sedução	20 g	110,0 cal.
	Garoto	1 Alô Doçura	15 g	83,0 cal.
		1 Ameixa	13 g	49,0 cal.
		1 Amores	13 g	43,0 cal.
		1 Baton	16 g	66,0 cal.
		1 Crocante	12 g	59,0 cal.
		1 Crock	13 g	70,0 cal.
		1 Caribe	13 g	53,0 cal.
		1 Concert	13 g	80,0 cal.
		1 Ebony	15 g	90,0 cal.
		1 Flocos	13 g	68,0 cal.
		1 Grid	13 g	49,0 cal.

ALIMENTO	TIPO	QTDE. PRÁTICA	MEDIDA	CALORIA
Bombom		1 It Coco	13 g	69,0 cal.
		1 Ivory	15 g	83,0 cal.
		1 Jazz	13 g	80,0 cal.
		1 Moon	13 g	60,0 cal.
		1 Marina	13 g	81,0 cal.
		1 Mania	15 g	76,0 cal.
		1 Nougat	15 g	80,0 cal.
		1 Noisette	15 g	74,0 cal.
		1 Opereta	15 g	78,0 cal.
	Garoto	1 Passas	13 g	60,0 cal.
		1 Rex	15 g	84,0 cal.
		1 Serenata	20 g	88,0 cal.
		1 Vitória	13 g	62,0 cal.

ALIMENTO	TIPO	QTDE. PRÁTICA	MEDIDA	CALORIA
Bombocado	doce	1 pequeno	15 g	45,4 cal.
		1 médio	30 g	91,0 cal.
		1 grande	45 g	136,4 cal.
	Ducoco	1 porção	100 g	343,0 cal.
Brandy	bebida alcoólica	1 copo de licor	28 ml	75,0 cal.
Brigadeiro	docinho	1 pequeno	15 g	50,2 cal.
		1 médio	25 g	83,6 cal.
		1 grande	45 g	150,5 cal.
Broa	milho	1 broazinha	100 g	257,0 cal.
	fubá	1 broazinha	60 g	60,0 cal.
	milho Yoki	1 pacote	350 g	1498 cal.
Brioche	pão	1 médio	65 g	210,0 cal.
Brócolis	cru	1 pires cheio	100 g	37,0 cal.

ALIMENTO	TIPO	QTDE. PRÁTICA	MEDIDA	CALORIA
Brócolis	cozido	1 pires cheio	100 g	37,0 cal.
		1 colher sopa	25 g	9,2 cal.
Broto	abóbora	1 pires	60 g	19,0 cal.
	bambu	1 pires	100 g	35,4 cal.
	chuchu	1 xícara chá	60 g	33,0 cal.
	feijão	1 xícara chá	70 g	44,0 cal.
	feijão refogado	1 xícara chá	120 g	20,0 cal.
	trigo cru	1 xícara chá	110 g	110,0 cal.
Bucho	boi (cru)	1 pedaço médio	100 g	99,0 cal.
	dobradinha	1 pires cheio	175 g	606,0 cal.
		1 colher sopa	30 g	86,5 cal.

LETRA C

ALIMENTO	TIPO	QTDE. PRÁTICA	MEDIDA	CALORIA
Cabrito	carne gorda	1 pedaço médio	100 g	357,0 cal.
	carne magra	1 pedaço médio	100 g	179,0 cal.
	carne salgada	1 pedaço médio	100 g	290,0 cal.
Cação	cru	1 filé médio	100 g	99,5 cal.
	dessecado	1 filé médio	100 g	195,3 cal.
	à milanesa	1 filé médio	100 g	228,0 cal.
Cacau	fava	1 pires	100 g	562,0 cal.
		1 colher sopa	30 g	168,6 cal.
	em pó Garoto	1 colher sopa	4,5 g	9,0 cal.
Cachorro-Quente	molho	1 com 1 salsicha	65 g	290,0 cal.
	maionese vinagrete	1 com 1 salsicha	70 g	624,0 cal.
	catchup	1 com 1 salsicha	65 g	314,0 cal.
	mostarda	1 com 1 salsicha	65 g	330,0 cal.

ALIMENTO	TIPO	QTDE. PRÁTICA	MEDIDA	CALORIA
Cachorro-Quente	mostarda e catchup	1 com 1 salsicha	70 g	342,0 cal.
	most.cat.batata palha . . .	1 com 1 salsicha	85 g	479,0 cal.
	most.cat.purê batata . . .	1 com 1 salsicha	90 g	416,0 cal.
	most.cat.maionese	1 com 1 salsicha	75 g	607,0 cal.
	salsicha de peru	1 com 1 salsicha	65 g	213,0 cal.
Café	s/açúcar ou c/adoç.	1 xícara	100 ml	5,3 cal.
		1 xicarazinha	40 ml	2,1 cal.
	torrado pó	1 colher sopa cheia	25 g	47,9 cal.
		1 colher sobremesa	12,5 g	23,9 cal.
	solúvel	1 colher sopa cheia	7,1 g	9,2 cal.
		1 colher chá	1,7 g	2,2 cal.
		1 colher café	1 g	1,2 cal.
	c/açúcar	1 xícara	100 ml	51,0 cal.

ALIMENTO	TIPO	QTDE. PRÁTICA	MEDIDA	CALORIA
Café		1 xicarazinha	40 ml	20,4 cal.
Caipirinha	limão	1 copo próprio	150 ml	207,0 cal.
	maracujá	1 copo próprio	150 ml	295,0 cal.
Caipirosca	limão	1 copo próprio	80 ml	180,0 cal.
Cajá-Manga	natural	1 pequeno	100 g	46,0 cal.
	vermelho	1 pequeno	100 g	88,6 cal.
Caju	natural	1 médio	140 g	51,1 cal.
	castanha crua	1 média	1,5 g	8,6 cal.
	castanha torrada	1 média	1,5 g	9,5 cal.
	suco	1 copo	250 ml	130,5 cal.
	suco	1/2 copo	125 ml	65,2 cal.
	suco Maguary	1 copo	250 ml	37,3 cal.
		1/2 copo	125 ml	18,6 cal.

ALIMENTO	TIPO	QTDE. PRÁTICA	MEDIDA	CALORIA
Caju	em calda	1 porção	80 g	299,0 cal.
Cajuzinho	docinho	1 pequeno	15 g	34,5 cal.
		1 médio	25 g	57,5cal.
		1 grande	45 g	103,5 cal.
Caldas	caramelo	1 colher sopa	20 g	55,0 cal.
	chocolate	1 colher sopa	20 g	109,0 cal.
	limão	1 colher sopa	15 g	100,0 cal.
	morango	1 colher sopa	20 g	59,0 cal.
Caldos	bacon Knorr	1 tablete	11,5 g	65,0 cal.
	carne	1 prato fundo	300 ml	51,0 cal.
		1 xícara de chá	200 ml	34,0 cal.
		1 colher sopa	10 ml	1,7 cal.
	carne Knorr	1 tablete	11,5 g	58,8 cal.

ALIMENTO	TIPO	QTDE. PRÁTICA	MEDIDA	CALORIA
Caldos	consommé concentrado	1 prato fundo	300 ml	51,0 cal.
		1 xícara de chá	200 ml	34,0 cal.
		1 colher sopa	10 ml	1,7 cal.
	cebola	1 prato fundo	300 ml	81,0 cal.
		1 xícara de chá	200 ml	54,0 cal.
		1 colher sopa	10 ml	2,7 cal.
	galinha	1 prato fundo	300 ml	167,1 cal.
		1 xícara de chá	200 ml	11,4 cal.
		1 colher sopa	10 ml	5,5 cal.
	galinha (concentrado)	1 prato fundo	300 ml	234,0 cal.
		1 xícara de chá	200 ml	156,0 cal.
		1 colher sopa	10 ml	7,8 cal.
	galinha Knorr	1 tablete	11,5 g	67,6 cal.

ALIMENTO	TIPO	QTDE. PRÁTICA	MEDIDA	CALORIA
Caldos	legumes Knorr	1 tablete	11,5 g	59,0 cal.
	peixe	1 prato fundo	300 ml	139,5 cal.
		1 xícara de chá	200 ml	93,0 cal.
		1 colher sopa	10 ml	4,6 cal.
	cana	1 copo	250 ml	138,0 cal.
		1/2 copo	125 ml	69,0 cal.
Camafeu	nozes	1 médio	30 g	65,0 cal.
Camarão	cru	1 pires cheio	140 g	141,4 cal.
		5 grandes	100 g	101,0 cal.
		10 médios	100 g	101,0 cal.
		5 colher sopa do peq.	100 g	101,0 cal.
	cozido	1 pires cheio	140 g	114,8 cal.
		5 grandes	100 g	82,0 cal.

ALIMENTO	TIPO	QTDE. PRÁTICA	MEDIDA	CALORIA
Camarão		10 médios	100 g	82,0 cal.
		5 colher sopa do peq.	100 g	82,0 cal.
	conserva	1 pires	140 g	188,1 cal.
		1 colher sopa	35 g	47,0 cal.
	seco industrial	1 pires	140 g	324,5 cal.
		1 colher sopa	20 g	47,0 cal.
	bobó	1 pires	140 g	997,9 cal.
		1 colher sopa	35 g	249,4 cal.
	c/ casca frito	1 pires cheio	140 g	434,0 cal.
		5 grandes	100 g	310,0 cal.
		10 médios	100 g	310,0 cal.
		5 colher sopa do peq.	100 g	310,0 cal.
	cuscuz	1 pedaço médio	180 g	328,0 cal.

ALIMENTO	TIPO	QTDE. PRÁTICA	MEDIDA	CALORIA
Camarão	moqueca	1 pires cheio	200 g	393,0 cal.
		1 colher sopa	40 g	58,2 cal.
	panqueca	1 média	100 g	193,0 cal.
	empadão e torta	1 fatia grande	150 g	607,0 cal.
	pastel	1 médio	50 g	92,2 cal.
	empadinha	1 grande	80 g	221,0 cal.
	suflê	1 colher sopa	33,3 g	98,6 cal.
	assado	3 unidades grandes	90 g	74,0 cal.
Cana-de-Açúcar	natural	1 pedaço médio	250 g	158,5 cal.
	caldo	1 copo	250 ml	138,0 cal.
		1/2 copo	125 ml	69,0 cal.
	melado	1 xícara	200 ml	694,0 cal.
		1 colher sopa	15 ml	104,1 cal.

ALIMENTO	TIPO	QTDE. PRÁTICA	MEDIDA	CALORIA
Canapés	atum	1 unidade	25 g	35,0 cal.
	ovo codorna,maionese	1 unidade	25 g	50,0 cal.
	queijo brie c/ tomate	1 unidade	25 g	38,0 cal.
	salmão	1 unidade	25 g	64,0 cal.
Canela	pau	2 médios	6 g	20,0 cal.
	pó	1 colher chá	6 g	21,0 cal.
Canelone	à bolonhesa	1 unidade	100 g	133,0 cal.
	ricota findus	1 unidade	100 g	147,0 cal.
	verde de ricota	2 unidades	160 g	540,0 cal.
Canelone	ricota /4 queijos	2 unidades	160 g	552,0 cal.
	pres. queijo/ bolonhesa.	2 unidades	160 g	552,0 cal.
Canjica	pronta	1 prato	300 ml	300,0 cal.
		1 xícara	200 ml	200,0 cal.

ALIMENTO	TIPO	QTDE. PRÁTICA	MEDIDA	CALORIA
Canjica		1 colher sopa	15 ml	15,0 cal.
Canja	galinha	1 prato fundo	300 ml	382,0 cal.
		1 colher sopa	20 ml	25,4 cal.
	canjão Knorr	1 prato fundo	300 ml	138,0 cal.
		1 colher sopa	20 ml	9,2 cal.
	canjão Arisco	1 prato fundo	300 ml	145,2 cal.
		1 colher sopa	20 ml	9,6 cal.
Capelete	carne Cica	1 xícara chá	100 g	278,0 cal.
	frango Cica	1 xícara chá	100 g	279,0 cal.
	carne Frescarini	1 xícara chá	100 g	282,0 cal.
	frango Frescarini	1 xícara chá	100 g	281,0 cal.
	ricota/espin.Frescarini	1 xícara chá	100 g	288,0 cal.
	presunto tender Sadia	1 xícara chá	100 g	286,0 cal.

ALIMENTO	TIPO	QTDE. PRÁTICA	MEDIDA	CALORIA
Cappuccino	Batavo longa vida	1 caixa	1000 ml	939,4 cal.
		1 copo	250 ml	234,8 cal.
	Damasco (pó)	1 lata	200 g	820,0 cal.
		1 colhcr de café	2 g	8,2 cal.
	Melita canela (pó)	1 lata	200 g	762,0 cal.
		1 colher de café	2 g	7,6 cal.
	Mr. Brow	1 lata	240 ml	168,9 cal.
Caqui	chocolate	1 pequeno	80 g	59,5 cal.
	japonês	1 pequeno	80 g	69,3 cal.
	paulista	1 pequeno	80 g	49,6 cal.
Cará	branco	1 médio	50 g	25,1 cal.
	barbado	1 médio	50 g	40,9 cal.
	da terra	1 médio	50 g	47,4 cal.

ALIMENTO	TIPO	QTDE. PRÁTICA	MEDIDA	CALORIA
Cará	caratinga	1 médio	50 g	58,8 cal.
	cozido	1 médio	50 g	60,0 cal.
Carambola	fresca	1 média	150 g	43,5 cal.
	suco	1 copo	250 ml	38,5 cal.
Caramelo Calda	caseiro	1 colher sopa	15 g	156,0 cal.
Caramelo	geral	1 unidade	4 g	43,0 cal.
	ao leite	1 unidade	3,4 g	21,0 cal.
	Lacta de leite	1 unidade	5 g	20,0 cal.
	chocolate	1 unidade	5 g	20,0 cal.
	coco	1 unidade	5 g	20,0 cal.
	Frumelo Nestlé	1 unidade	4,5 g	19,0 cal.
Caranguejo	cru	1 médio	80 g	64,8 cal.
	conserva	1 colher sopa	25 g	19,8 cal.

ALIMENTO	TIPO	QTDE. PRÁTICA	MEDIDA	CALORIA
Caranguejo		1 colher sobremesa	12,5 g	9,9 cal.
	casquinha	1 média	130 g	250,0 cal.
	cozido em vapor	1/2 xícara	85 g	79,0 cal.
		1 colher sopa	25 g	23,2 cal.
	frito	1 porção	65 g	185,0 cal.
		1 colher sopa	20 g	56,9 cal.
	patas cozidas	8 médias	250 g	203,0 cal.
Carne de Ave	defumada	1 fatia média	80 g	192,0 cal.
	frita	1 pedaço médio	80 g	199,2 cal.
Carne de Boi	acém cozido/grelhado	1 pedaço médio	100 g	262,0 cal.
	acém assado	1 pedaço médio	100 g	185,0 cal.
	acém frito	1 pedaço médio	100 g	220,0 cal.
	alcatra assada/grelhada	1 pedaço médio	100 g	200,0 cal.

ALIMENTO	TIPO	QTDE. PRÁTICA	MEDIDA	CALORIA
Carne de Boi	alcatra frita	1 pedaço médio	100 g	235,0 cal.
	bezerro	1 pedaço médio	100 g	115,6 cal.
	bisteca do lombo	1 média	200 g	542,4 cal.
	contrafilé grelhado	1 pedaço médio	100 g	279,5 cal.
	costela gorda	1 pedaço médio	150 g	570,6 cal.
	costela magra	1 pedaço médio	150 g	279,6 cal.
	costela cozida	1 pedaço médio	150 g	453,0 cal.
	costela assada/grelhada	1 pedaço médio	150 g	427,3 cal.
	coração	1 colher sopa	20 g	36,0 cal.
	coxão duro assado	2 fatias finas	100 g	200,0 cal.
	coxão duro frito	2 fatias finas	100 g	235,0 cal.
	coxão mole assado	1 filé médio	100 g	200,0 cal.
	coxão mole frito	1 filé médio	100 g	235,0 cal.

ALIMENTO	TIPO	QTDE. PRÁTICA	MEDIDA	CALORIA
Carne de Boi	desidratada	1 pedaço médio	100 g	408,3 cal.
	fígado cozido frito	1 pedaço médio	50 g	116,2 cal.
	gorda enlatada	1 pedaço médio	100 g	271,0 cal.
	magra enlatada	1 pedaço médio	100 g	133,0 cal.
	fervida	1 pedaço médio	100 g	164,0 cal.
	filé assado/grelhado	1 pedaço médio	200 g	484,0 cal.
	mignon assado/grelhado	1 pedaço médio	100 g	219,4 cal.
	fralda	1 pedaço médio	100 g	105,0 cal.
	fraldinha assada	1 pedaço médio	80 g	148,0 cal.
	carne gorda crua	1 pedaço médio	100 g	250,3 cal.
	lagarto cozido	1 pedaço médio	100 g	117,0 cal.
	lagarto cru	1 pedaço médio	100 g	170,0 cal.
	lagarto assado	1 pedaço médio	100 g	208,0 cal.

ALIMENTO	TIPO	QTDE. PRÁTICA	MEDIDA	CALORIA
Carne de Boi	língua cozida	1 pedaço médio	80 g	229,8 cal.
	lombo assado	1 fatia média	100 g	290,0 cal.
	maminha assada/grelh.	2 fatias	120 g	169,0 cal.
	mocotó cozido	1 porção média	100 g	221,1 cal.
	músculo cozido	1 porção média	80 g	171,1 cal.
	músculo assado	2 pedaços médios	100 g	185,0 cal.
	carne magra crua	1 pedaço médio	100 g	111,0 cal.
	magra assada	1 pedaço médio	100 g	287,7 cal.
	média gordura	1 pedaço médio	100 g	140,5 cal.
	miúdos	1 pires	100 g	67,7 cal.
	miolo	1 pires	100 g	119,0 cal.
	peito c/pouca gordura	1 pedaço médio	100 g	210,9 cal.
	ponta agulha assado	1 pedaço médio	100 g	237,7 cal.

ALIMENTO	TIPO	QTDE. PRÁTICA	MEDIDA	CALORIA
Carne de Boi	quarto dianteiro	1 pedaço médio	100 g	185,0 cal.
	quarto traseiro	1 pedaço médio	100 g	200,6 cal.
	traseiro assado/grelhado	1 pedaço médio	130 g	339,3 cal.
	rabada	1 pedaço médio	100 g	388,5 cal.
	rosbife	1 pedaço fino	50 g	83,0 cal.
	enlatada	1 pedaço médio	100 g	216,0 cal.
	charque gordo	1 pedaço médio	100 g	429,0 cal.
	charque magro	1 pedaço médio	100 g	295,0 cal.
	charque média gordura	2 pedaços médios	100 g	248,5 cal.
	moída crua (primeira)	1 porção	100 g	198,4 cal.
	patinho assado	2 fatias médias	100 g	200,0 cal.
	patinho frito	1 filé médio	100 g	235,0 cal.
	pescoço	1 pedaço médio	100 g	210,0 cal.

ALIMENTO	TIPO	QTDE. PRÁTICA	MEDIDA	CALORIA
Carne de Boi	picanha crua	1 filé grande	100 g	156,0 cal.
	picanha assada	2 fatias	120 g	344,0 cal.
	rim	1 unidade	100 g	111,0 cal.
	vitela magra crua	1 pedaço médio	70 g	80,5 cal.
	vitela magra assada	1 pedaço médio	70 g	161,3 cal.
	vitela magra cozida	1 pedaço médio	70 g	101,5 cal.
	vitela assada	1 pedaço médio	70 g	202,3 cal.
	vitela s/osso guisada	1 porção média	70 g	38,8 cal.
	coração de vitela	1 colher sopa	20 g	31,0 cal.
	costela de vitela	2 unidades médias	100 g	139,0 cal.
	fígado vitela cozido	1 pedaço médio	50 g	102,7 cal.
	lagarto vitela cru	2 fatias médias	100 g	115,0 cal.
	lagarto vitela cozido	2 fatias médias	100 g	145,0 cal.

ALIMENTO	TIPO	QTDE. PRÁTICA	MEDIDA	CALORIA
Carne de Boi	lagarto vitela assado	2 fatias médias	100 g	145,0 cal.
	mignon de vitela	1 filé médio	100 g	145,0 cal.
	patinho vitela assado	2 fatias médias	100 g	145,0 cal.
	rim de vitela	1 xícara de chá	100 g	126,0 cal.
C. de Cabrito	gorda	1 pedaço médio	100 g	357,0 cal.
	magra	1 pedaço médio	100 g	179,0 cal.
	perna assada	1 fatia média	100 g	357,0 cal.
	pernil assado	3 fatias	150 g	536,0 cal.
	salgada	1 pedaço médio	100 g	290,0 cal.
C. de Carneiro	magra	1 pedaço médio	100 g	122,0 cal.
	gorda	1 pedaço médio	100 g	323,5 cal.
	bisteca assada	1 pedaço médio	100 g	335,0 cal.
	fígado cozido grelhado	1 pedaço médio	50 g	116,2 cal.

ALIMENTO	TIPO	QTDE. PRÁTICA	MEDIDA	CALORIA
C. de Carneiro	lombo assado grelhado	1 pedaço médio	80 g	179,1 cal.
	lombo guisado	1 pedaço médio	80 g	150,4 cal.
	costeleta crua	1 pedaço médio	150 g	326,8 cal.
	costeleta assada	1 pedaço médio	150 g	537,0 cal.
	costela cozida	1 pedaço médio	100 g	217,0 cal.
	costela defumada	1 pedaço médio	100 g	357,0 cal.
	lombo	1 pedaço médio	60 g	217,1 cal.
	peito assado grelhado	1 pedaço médio	60 g	174,1 cal.
	perna assada grelhada	1 pedaço médio	100 g	195,9 cal.
	coração	1 colher sopa	20 g	37,0 cal.
C. de Cavalo	crua	1 pedaço médio	100 g	122,0 cal.
Cobra Cascavel	crua	1 porção	100 g	94,0 cal.
de Codorna	crua	1 média	200 g	335,6 cal.

ALIMENTO	TIPO	QTDE. PRÁTICA	MEDIDA	CALORIA
C. de Codorna	ao vinho	1 média limpa	160 g	190,0 cal.
	c/bacon	1 média limpa	160 g	219,0 cal.
C. de Coelho	crua	2 pedaços médios	100 g	175,0 cal.
	ensopado	2 pedaços médios	100 g	205,0 cal.
	fígado	1 colher sopa	25 g	30,0 cal.
	rim	1 xícara de chá	100 g	120,0 cal.
C. de Cordeiro	chuleta assada	1 pedaço médio	150 g	533,8 cal.
	chuleta cozida	1 pedaço médio	150 g	523,9 cal.
	coração	1 colher sopa	20 g	33,0 cal.
	costeleta crua	1 pedaço médio	150 g	526,8 cal.
	carne gorda	1 pedaço médio	100 g	287,4 cal.
	magra	1 pedaço médio	100 g	162,7 cal.
	semigorda	1 pedaço médio	100 g	247,0 cal.

ALIMENTO	TIPO	QTDE. PRÁTICA	MEDIDA	CALORIA
C. de Cordeiro	muito gorda	1 pedaço médio	100 g	352,8 cal.
	lombo assado	1 pedaço médio	100 g	336,0 cal.
	peito	1 filé médio	100 g	306,0 cal.
	pernil cru	1 pedaço médio	100 g	250,3 cal.
	pernil assado	1 pedaço médio	100 g	193,1 cal.
	rim	1 xícara de chá	100 g	104,0 cal.
C. de Faisão	cru	2 fatias	50 g	72,0 cal.
	cozido	2 fatias	50 g	105,0 cal.
C. de Franga	crua	1 pedaço médio	100 g	115,7 cal.
C. de Frango	cru	1 pedaço médio	100 g	106,7 cal.
	assado	1 pedaço médio	100 g	109,0 cal.
	asa assada	2 médias	100 g	135,0 cal.
	coração	2 corações	20 g	36,0 cal.

ALIMENTO	TIPO	QTDE. PRÁTICA	MEDIDA	CALORIA
C. de Frango	cozido	1 pedaço médio	100 g	220,0 cal.
	cozido s/ pele	1 pedaço médio	100 g	188,0 cal.
	coxa	1 média	100 g	144,0 cal.
	coxa assada c/pele	1 média	100 g	110,0 cal.
	coxa assada s/pele	1 média	100 g	98,0 cal.
	coxa cozida	1 média	100 g	110,0 cal.
	defumado	2 fatias médias	100 g	157,0 cal.
	filé	2 médios	100 g	101,0 cal.
	fígado	1 colher sopa	25 g	31,0 cal.
	de leite	1 pedaço médio	100 g	220,0 cal.
	grelhado	1 pedaço médio	100 g	145,6 cal.
	medalhão c/ bacon	1 médio	100 g	241,0 cal.
	peito assado	1 filé médio	100 g	109,0 cal.

ALIMENTO	TIPO	QTDE. PRÁTICA	MEDIDA	CALORIA
C. de Frango	peito assado s/pele	1 filé médio	100 g	98,0 cal.
	peito cozido	1 filé médio	100 g	109,0 cal.
	pescoço	2 médios	100 g	185,0 cal.
	sobrecoxa	1 média	100 g	229,0 cal.
Frango Caipira	assado	1/2 unidade	180 g	218,0 cal.
C. de Galinha	aferventada	1 pedaço médio	100 g	136,0 cal.
	asa grelhada	1 média	25 g	34,0 cal.
	asa frita	1 média	25 g	67,0 cal.
	carne clara assada	1 pedaço médio	80 g	184,0 cal.
	carne escura assada	1 pedaço médio	80 g	108,8 cal.
	coxa grelhada	1 média	60 g	81,6 cal.
	coxa frita	1 média	60 g	142,2 cal.
	fígado cozido	1/2 xícara	90 g	148,5 cal.

ALIMENTO	TIPO	QTDE. PRÁTICA	MEDIDA	CALORIA
C. de Galinha	frita	1 pedaço médio	100 g	137,0 cal.
	miúdos	1 pires	100 g	160,0 cal.
	moela	1 pires	100 g	77,0 cal.
	peito frito	1 pedaço médio	100 g	109,7 cal.
	conserva	1 pedaço médio	100 g	226,0 cal.
	desidratada	1 pedaço médio	100 g	387,5 cal.
	salgada	1 pedaço médio	100 g	135,0 cal.
C. de Ganso	magra	1 pedaço médio	100 g	153,0 cal.
	gorda	1 pedaço médio	100 g	452,0 cal.
	fígado	1 colher sopa	25 g	32,6 cal.
	pele e carne assada	1 pedaço médio	100 g	322,0 cal.
C. de Jacaré	crua	1 filé médio	100 g	108,0 cal.
C. de Javali	crua	1 pedaço médio	100 g	147,0 cal.

ALIMENTO	TIPO	QTDE. PRÁTICA	MEDIDA	CALORIA
C. de Juriti	ave	1 porção	100 g	279,0 cal.
C. de Lagarto	crua	1 pedaço médio	100 g	112,0 cal.
C. de Lebre	crua	1 pedaço médio	100 g	131,0 cal.
C. de Leitão	crua	1 pedaço médio	100 g	380,0 cal.
	de leite (assado)	2 pedaços	150 g	247,0 cal.
	pururuca	1 porção	100 g	548,0 cal.
C. de Ovelha	lombo cru	1 pedaço médio	100 g	333,0 cal.
	pernil cru	1 pedaço médio	100 g	339,8 cal.
	rim	1 xícara	100 g	101,0 cal.
C. de Paca	crua	1 pedaço médio	100 g	124,0 cal.
C. de Pardal	crua	1 porção	100 g	124,0 cal.
C. de Pato	crua	1 pedaço médio	100 g	159,0 cal.
	assada c/ pele	1 pedaço médio	80 g	249,1 cal.

ALIMENTO	TIPO	QTDE. PRÁTICA	MEDIDA	CALORIA
C. de Pato	assada s/ pele	1 pedaço médio	80 g	152,8 cal.
	selvagem	1 pedaço médio	100 g	118,5 cal.
C. de Perdiz	crua	1 pedaço médio	100 g	113,9 cal.
	assada	1 pedaço médio	100 g	99,7 cal.
	conserva	1 pedaço médio	100 g	145,5 cal.
C. de Peru	magra	1 pedaço médio	100 g	153,0 cal.
	semigorda	1 pedaço médio	100 g	208,0 cal.
	conserva	1 pedaço médio	100 g	358,0 cal.
	assada c/ pele	1 pedaço médio	100 g	267,5 cal.
	assada s/ pele	1 pedaço médio	100 g	178,0 cal.
	asa	1 média	100 g	140,0 cal.
	coxa	1 média	100 g	134,0 cal.
	moela cozida	1 unidade	25 g	110,0 cal.

ALIMENTO	TIPO	QTDE. PRÁTICA	MEDIDA	CALORIA
C. de Peru	fígado	1 colher sopa	25 g	34,8 cal.
	peito	1 filé médio	100 g	106,0 cal.
C. de Pombo	crua	1 porção	100 g	279,0 cal.
C. de Porco	magra	1 pedaço médio	100 g	181,0 cal.
	magra salgada	1 pedaço médio	100 g	200,9 cal.
	média gord. salgada	1 pedaço médio	100 g	320,4 cal.
	gorda crua	1 pedaço médio	100 g	285,7 cal.
	gorda salgada	1 pedaço médio	100 g	481,0 cal.
	muito gorda	1 pedaço médio	100 g	402,3 cal.
	assada	1 pedaço médio	100 g	393,0 cal.
	bisteca crua	2 unidades	100 g	240,0 cal.
	bisteca assada	2 unidades	100 g	337,0 cal.
	lombo assado	1 pedaço médio	100 g	272,0 cal.

ALIMENTO	TIPO	QTDE. PRÁTICA	MEDIDA	CALORIA
C. de Porco	lombo cru	1 fatia média	100 g	362,6 cal.
	lombo coz. defumado	1 fatia média	100 g	389,0 cal.
	costela salgada	1 pedaço médio	100 g	320,0 cal.
	chuleta gorda	1 pedaço médio	100 g	337,3 cal.
	costeleta média gorda	1 pedaço médio	100 g	344,7 cal.
	costeleta assada grelh.	1 pedaço médio	80 g	203,2 cal.
	fígado	1 colher sopa	25 g	66,0 cal.
	filé	1 médio	100 g	120,0 cal.
	joelho assado	1 médio	50 g	123,4 cal.
	paleta	1 pedaço médio	100 g	398,6 cal.
	pé	1 médio	100 g	299,0 cal.
	pata assada grelhada	1 média	100 g	362,0 cal.
	pernil cru	1 pedaço médio	100 g	339,8 cal.

ALIMENTO	TIPO	QTDE. PRÁTICA	MEDIDA	CALORIA
C. de Porco	pernil assado	1 pedaço médio	100 g	393,0 cal.
	rim	1 xícara	100 g	142,0 cal.
	rabo salgado	3 unidades	100 g	426,0 cal.
	desidratada	1 pedaço médio	100 g	512,2 cal.
	conserva	1 pedaço médio	100 g	443,4 cal.
	tender	2 fatias médias	100 g	210,0 cal.
	toucinho defumado	1 fatia média	20 g	138,0 cal.
Porco do Mato	crua	1 porção	100 g	147,0 cal.
Carne de Preá	crua	1 pedaço	100 g	116,0 cal.
Carne de Quati	crua	1 pedaço	100 g	274,0 cal.
Carne de Rã	crua	1/2 rã	100 g	64,0 cal.
Carne de Soja	(vegetal)	1 pedaço	100 g	106,0 cal.
Carne de Tatu	crua	1 pedaço	100 g	172,0 cal.

ALIMENTO	TIPO	QTDE. PRÁTICA	MEDIDA	CALORIA
C. Tartaruga Mar	crua	1 pedaço	100 g	84,0 cal.
Carne de Veado	crua	1 pedaço	100 g	134,0 cal.
	salgada	1 pedaço	100 g	151,0 cal.
Carneiro	bisteca assada	1 pedaço médio	100 g	335,0 cal.
	fígado cozido grelh.	1 pedaço médio	50 g	116,2 cal.
	costela cozida	1 pedaço médio	100 g	217,0 cal.
	costela defumada	1 pedaço médio	100 g	357,0 cal.
	lombo assado/grelh.	1 pedaço médio	80 g	179,1 cal.
	lombo guisado	1 pedaço médio	80 g	150,4 cal.
	costeleta assada	1 pedaço médio	150 g	537,0 cal.
	peito assado grelh.	1 pedaço médio	60 g	174,1 cal.
	perna assada grelh.	1 pedaço médio	100 g	195,9 cal.
Carolina	frita s/recheio	1 unidade	20 g	42,0 cal.

ALIMENTO	TIPO	QTDE. PRÁTICA	MEDIDA	CALORIA
Carolina	assada s/ recheio	1 unidade	20 g	34,0 cal.
Carpa (Peixe)	crua	1 pedaço médio	100 g	86,0 cal.
	assada	1 pedaço médio	100 g	109,9 cal.
Carpaccio	mignon temperado	1 fatia fina	30 g	43,7 cal.
	c/alcap.,queijo,torrada	1 prato	350 g	786,0 cal.
Cafeína	pó	1 colher sopa	20 g	63,0 cal.
		1 colher chá	4,5 g	14,3 cal.
Casquinha	siri	1 média	130 g	413,0 cal.
	caranguejo	1 média	140 g	250,0 cal.
	sorvete	1 unidade	5 g	48,0 cal.
Cassata	italiana / doce	1 fatia	100 g	194,0 cal.
Castanha	-do-Pará	1 unidade	26,6 g	186,4 cal.
	européia crua	1 unidade	10 g	19,1 cal.

ALIMENTO	TIPO	QTDE. PRÁTICA	MEDIDA	CALORIA
Castanha	européia assada	1 unidade	10 g	22,7 cal.
	européia cozida	1 unidade	10 g	20,4 cal.
	purê	1 pires cheio	100 g	250,0 cal.
		1 colher sopa	33,3 g	83,2 cal.
	em calda	1 pires cheio	100 g	318,0 cal.
		1 colher sopa	25 g	79,5 cal.
	bolo	1 fatia média	70 g	300,0 cal.
	caju crua	1 unidade média	1,5 g	8,6 cal.
	caju torrada	1 xícara	150 g	950,0 cal.
		1 unidade média	1,5 g	9,5 cal.
	caju picada	1 xícara	150 g	835,0 cal.
		1 colher sopa	25 g	139,1 cal.
	pequi	1 porção	100 g	89,0 cal.

ALIMENTO	TIPO	QTDE. PRÁTICA	MEDIDA	CALORIA
Catchup	tomate Etti	1 colher sopa	15 g	16,8 cal.
	Arisco	1 colher sopa	15 g	19,5 cal.
	Cocinero	1 colher sopa	15 g	23,0 cal.
	tradicional Cica	1 colher sopa	15 g	21,0 cal.
Cavala(peixe)	assada	2 unidades	100 g	248,0 cal.
	na folha de bananeira	1 porção	200 g	377,2 cal.
Cavalo	carne crua	1 pedaço médio	100 g	122,0 cal.
Caviar	americano	1 colher chá	16,6 g	47,7 cal.
		1 colher café	8,3 g	23,8 cal.
	corvina	1 colher chá	16,6 g	33,3 cal.
		1 colher café	8,3 g	16,6 cal.
	esturjão granulado	1 colher chá	16,6 g	20,7 cal.
		1 colher café	8,3 g	10,3 cal.

ALIMENTO	TIPO	QTDE. PRÁTICA	MEDIDA	CALORIA
Caviar	esturjão prensado	1 colher chá	10 g	29,0 cal.
		1 colher café	5 g	14,5 cal.
	carpa (vermelho)	1 colher chá	16,6 g	45,0 cal.
		1 colher café	8,3 g	22,5 cal.
Cebola	crua	1 média	120 g	37,8 cal.
	cozida	1 média	120 g	48,2 cal.
	cozida picada	1 colher sopa	20 g	8,0 cal.
	desidratada	1 colher sopa	10 g	26,6 cal.
	branca crua	1 pequena	40 g	18,9 cal.
	branca picada	1 colher sopa	10 g	4,7 cal.
	branca conserva	1 pequena	40 g	17,5 cal.
	sopa	1 prato fundo	300 ml	365,0 cal.
	tablete	1 tablete	11,5 g	33,0 cal.

ALIMENTO	TIPO	QTDE. PRÁTICA	MEDIDA	CALORIA
Cebolinha	verde	1 pires cheio	80 g	23,8 cal.
		1 colher sopa	10 g	2,8 cal.
Cenoura	crua	1 cenoura média	150 g	75,0 cal.
	ralada crua	1 pires cheio	100 g	50,0 cal.
		1 colher sopa	20 g	10 ,0 cal.
	cozida	1 pires cheio	100 g	32,5 cal.
		1 colher sopa	20 g	6,5 cal.
		1 rodela média	5,8 g	1,8 cal.
	conserva	1 pires cheio	100 g	37,4 cal.
		1 colher sopa	20 g	7,4 cal.
		1 rodela	5,8 g	2,1 cal.
	suco	1 copo	250 ml	72,9 cal.
	purê	1 pires	100 g	35,6 cal.

ALIMENTO	TIPO	QTDE. PRÁTICA	MEDIDA	CALORIA
Cenoura		1 colher sopa	33,3 g	11,8 cal.
	bolo	1 fatia média	50 g	189,0 cal.
	sauté	1 unidade	40 g	50,0 cal.
Centeio	farinha	1 xícara chá	100 g	348,2 cal.
		1/2 xícara chá	50 g	174,1 cal.
		1 colher sopa	12,5 g	43,5 cal.
	broa	1 fatia média	35 g	85,0 cal.
	pão	1 fatia média	40 g	83,1 cal.
Cereais	All-Bran Kellogg's	1/2 xícara	30 g	70,0 cal.
	Bran flakes Kellogg's	1 xícara	30 g	90,0 cal.
	Choco Krispis Kellogg.	1 xíc. e 3/4	30 g	120,0 cal.
	Chokos Kellogg's	1 xícara	30 g	120,0 cal.
	Corn Flakes Kellogg's	1 xícara	30 g	110,0 cal.

ALIMENTO	TIPO	QTDE. PRÁTICA	MEDIDA	CALORIA
Cereais	Crunchy Nut Kellogg.	1 xícara	30 g	110,0 cal.
	Froot Loops Kellogg's	1 xícara	30 g	110,0 cal.
	granola Kellogg's	1/2 xícara	40 g	160,0 cal.
	Honey Nuto's Kellogg.	1 xícara	30 g	110,0 cal.
	Musli Kellogg's	1/2 xícara	40 g	150,0 cal.
	Rice Krispies Kellogg's.	1 xícara	30 g	110,0 cal.
	Sucrilhos Kellogg's	1 xícara	30 g	110,0 cal.
	Tropic Kellogg's	1 xícara	30 g	120,0 cal.
	Alphabits Post	1 xícara	32 g	130,0 cal.
	Banana Nut Crunch Post.	1 xícara	59 g	250,0 cal.
	Cocoa Pebbles Post	1 xícara	29 g	120,0 cal.
	Crispy Critters Post	1 xícara	30 g	120,0 cal.
	Fruit Pebbles Post	1 xícara	27 g	110,0 cal.

ALIMENTO	TIPO	QTDE. PRÁTICA	MEDIDA	CALORIA
Cereais	Honey Bunches Post	1 xícara	31 g	130,0 cal.
	Honey Comb Post	1 xícara	29 g	110,0 cal.
	Marshmallow al.Post	1 xícara	29 g	120,0 cal.
	Natural Raisin Bran Post	1 xícara	59 g	190,0 cal.
	Toasties Post	1 xícara	28 g	100,0 cal.
	In Natura	1 colher sopa	16,2 g	16,2 cal.
	Barra Nutry banana	1 unidade	25 g	90,0 cal.
	Barra Nutry coco	1 unidade	25 g	110,0 cal.
	Barra Nutry frutas	1 unidade	25 g	100,0 cal.
	Barra Nutry salada fr.	1 unidade	25 g	93,0 cal.
	Barra Nutry vitam. C	1 unidade	25 g	96,3 cal.
Cereja	natural	1 média	9,6 g	8,8 cal.
	em calda	1 média	9.6 g	23,1 cal.

ALIMENTO	TIPO	QTDE. PRÁTICA	MEDIDA	CALORIA
Cereja	confeitada	1 média	9,6 g	32,4 cal.
	evasada	1 média	9,6 g	4,8 cal.
	evasada açucarada	1 média	9,6 g	8,2 cal.
	seca	1 colher sopa	15 g	23,0 cal.
	suco	1 copo	250 ml	118,0 cal.
Cerveja	branca	1 garrafa	600 ml	252,0 cal.
		1 lata	355 ml	147,0 cal.
		1 copo próprio	300 ml	126,0 cal.
	Antárctica münchen	1 garrafa	600 ml	295,2 cal.
		1 copo próprio	300 ml	147,6 cal.
	Antárctica malzbier	1 garrafa	600 ml	395,4 cal.
		1 copo próprio	300 ml	197,7 cal.
	Bavária Pilsen	1 garrafa	600 ml	219,6 cal.

ALIMENTO	TIPO	QTDE. PRÁTICA	MEDIDA	CALORIA
Cerveja		1 lata	355 ml	130,1 cal.
		1 copo próprio	300 ml	109,8 cal.
	Brahma Chopp	1 garrafa	600 ml	257,4 cal.
		1 lata	355 ml	152,2 cal.
		1 copo próprio	300 ml	128,7 cal.
	Brahma Light	1 garrafinha	355 ml	94,0 cal.
		1 copo próprio	300 ml	79,4 cal.
	Brahma Extra	1 garrafinha	355 ml	165,0 cal.
		1 copo próprio	300 ml	139,4 cal.
	Brahma Malzbier	1 garrafa	600 ml	330,0 cal.
		1 copo próprio	300 ml	165,0 cal.
	Budweiser	1 garrafa	600 ml	263,4 cal.
		1 lata	355 ml	155,8 cal.

ALIMENTO	TIPO	QTDE. PRÁTICA	MEDIDA	CALORIA
Cerveja		1 copo próprio	300 ml	131,7 cal.
	Cristal	1 copo próprio	300 ml	140,7 cal.
	Kronenbier s/álcool	1 garrafa	600ml	159,0 cal.
		1 lata	355 ml	94,0 cal.
		1 copo próprio	300 ml	79,5 cal.
	Miller	1 lata	355 ml	150,2 cal.
		1 copo próprio	300 ml	126,9 cal.
	Skol Bock	1 garrafa	600 ml	312,0 cal.
		1 lata	355 ml	184,6 cal.
		1 copo próprio	300 ml	156,0 cal.
	Skol Caracu	1 copo próprio	300 ml	183,0 cal.
	Skol Pilsen	1 garrafa	600 ml	258,0 cal.
	Skol Pilsen	1 copo próprio	300 ml	129,0 cal.

ALIMENTO	TIPO	QTDE. PRÁTICA	MEDIDA	CALORIA
Cevada	torrada pó	1 colher sopa cheia	25 g	87,7 cal.
	infusão s/ açúcar	1 xícara café	100 ml	12,0 cal.
		1 xícara café	40 ml	4,8 cal.
Chá	infusão s/ açúcar	1 xícara chá	200 ml	4,0 cal.
	preto Royal Blend	1 saquinho	1,8 g	2,0 cal.
	limão diet Parmalat	1 caixa	200 ml	10,0 cal.
	pêssego diet Parmalat	1 caixa	200 ml	10,0 cal.
	pêssego Parmalat	1 copo	300 ml	109,4 cal.
	limão Parmalat	1 copo	300 ml	115,3 cal.
	mate Leão natural	1 copo	300 ml	116,0 cal.
	mate Leão limão	1 copo	300 ml	113,0 cal.
	mate Leão maçã	1 copo	300 ml	116,1 cal.
	mate Leão pêssego	1 copo	300 ml	113,3 cal.

ALIMENTO	TIPO	QTDE. PRÁTICA	MEDIDA	CALORIA
Chá	Ice Tea Lipton	1 lata	350 ml	112,0 cal.
	Ice Tea Lipton diet	1 lata	350 ml	10,5 cal.
Champanhe	bebida alcoólica	1 taça própria	170 ml	150,0 cal.
Chantili	creme caseiro	1 xícara	50 g	221,5 cal.
		1/2 xícara	25 g	110,7 cal.
		1 colher sopa	5 g	22,1 cal.
	pó para	1 colher sopa	25 g	123,0 cal.
	Chantibon	1 colher sopa	15 g	67,0 cal.
	Chantineve Otker pó	1 caixa	50 g	102,0 cal.
Charque	carne gorda	1 pedaço médio	100 g	429,0 cal.
	carne magra	1 pedaço médio	100 g	295,0 cal.
	carne média gordura	1 pedaço médio	100 g	248,5 cal.
	salada	1 porção	130 g	389,0 cal.

ALIMENTO	TIPO	QTDE. PRÁTICA	MEDIDA	CALORIA
Charque		1 colher sopa	25 g	74,8 cal.
Charuto	repolho	1 pequeno	46,6 g	47,3 cal.
	folha de uva	1 unidade	45,7 g	57,1 cal.
Cheeseburger	sanduíche	1 c/1 fatia de queijo	125 g	310 cal.
Cheesecake	abacaxi	1 fatia	150 g	181,2 cal.
	café	1 fatia	150 g	328,5 cal.
	framboesa	1 fatia	150 g	403,5 cal.
	limão	1 fatia	150 g	328,5 cal.
Cheese Salada	sanduíche	1 unidade	140 g	441,0 cal.
	c/ maionese	1 unidade	160 g	738,0 cal.
Cheiro-Verde	fresco	1 maço médio	25 g	4,0 cal.
		1 colher sopa	8,0 g	1,2 cal.
Chester	medalhão c/bacon	1 medalhão	83,3 g	114,9 cal.

ALIMENTO	TIPO	QTDE. PRÁTICA	MEDIDA	CALORIA
Chester	Parmegiana Perdigão	1 caixa	550 g	863,5 cal.
		1 porção	225 g	431,7 cal.
	ave Perdigão	1 fatia	20 g	41,0 cal.
	Giorgia Perdigão	1 fatia	15 g	15,0 cal.
	lanche Perdigão	1 fatia	10 g	18,0 cal.
	salsicha de	1 unidade	30 g	106,0 cal.
Chiclete	Ping Pong	1 unidade	20 g	19,0 cal.
	Plets	1 unidade	2,0 g	5,0 cal.
	Ploc	1 unidade	20 g	19,0 cal.
	Trident s/ açúcar	1 unidade (canela)	1,7 g	2,9 cal.
	Trident s/açúcar	1 unidade (frutas)	1,7 g	2,9 cal.
	Trident s/açúcar	1 unidade (hortelã)	1,7 g	2,5 cal.
	Trident s/açúcar	1 unidade (menta)	1,7 g	2,8 cal.

ALIMENTO	TIPO	QTDE. PRÁTICA	MEDIDA	CALORIA
Chicken	Salad Sanduíche	1 unidade	140 g	292,0 cal.
	Mc Nuggets	1 unidade	25 g	63,0 cal.
Chicória	fresca	2 folhas grandes	20 g	4,2 cal.
		1 pires	80 g	16,8 cal.
Chiquinitos	bacon queijo Granja	1 unidade	25 g	48,0 cal.
	tradicional Granja	1 unidade	25 g	43,0 cal.
Chop Suey	comida chinesa	1 porção	250 g	297,0 cal.
Chocolate	pó c/leite integral	1 copo	250 ml	167,7 cal.
	pó c/leite e açúcar	1 copo	250 ml	252,9 cal.
	pó Nescau	1 xícara de chá	100 g	381,0 cal.
		1 colher sopa cheia	20 g	76,2 cal.
		1 colher sobremesa	11,1 g	42,3 cal.
		1 colher chá	3,8 g	14,6 cal.

ALIMENTO	TIPO	QTDE. PRÁTICA	MEDIDA	CALORIA
Chocolate	pó Ovomaltine	1 xícara chá	60 g	240,0 cal.
		1 colher sopa	6 g	24,0 cal.
	pó Tal e Qual	1 colher sopa	4,5 g	14,0 cal.
	pó Gold Aspartame	1 colher sopa	4,5 g	15,0 cal.
	pó Garoto	1 colher sopa	6 g	18,0 cal.
	pó Glória	1 colher sopa	6 g	13,0 cal.
	pó Nesquik	1 colher sopa	6 g	22,8 cal.
	pó Toddy	1 colher sopa	6 g	24,0 cal.
	pó Chocomix Quaker	1 colher sopa	6 g	21,0 cal.
	pó Sustagem	1 colher sopa	10 g	39,0 cal.
	cobertura	1 colher sopa	15 ml	60,0 cal.
	creme	1 colher sopa	15 ml	64,5 cal.
	granulado	1 colher sopa	12 g	48,0 cal.

ALIMENTO	TIPO	QTDE. PRÁTICA	MEDIDA	CALORIA
Chocolate	bolo	1 fatia média	70 g	300,3 cal.
	torta	1 fatia média	100 g	506,0 cal.
	pudim	1 fatia média	80 g	277,0 cal.
Chocolate diet	Adocyl	1 tablete	33 g	163,3 cal.
	Prauver	1 tablete	30 g	167,1 cal.
	Prauver c/damasco	1 tablete	30 g	162,3 cal.
	Prauver c/ameixa	1 tablete	30 g	162,3 cal.
Cobertura	chocolate ao leite	1 pedaço médio	100 g	541,0 cal.
	meio amargo	1 pedaço médio	100 g	537,0 cal.
	branco	1 pedaço médio	100 g	550,0 cal.
Chocolate Garoto	Talento amêndoas/passas	1 barra	100 g	485,0 cal.
	Talento leite c/avelã	1 barra	100 g	507,0 cal.
	Talento cast.-do-Pará	1 barra	100 g	512,0 cal.

ALIMENTO	TIPO	QTDE. PRÁTICA	MEDIDA	CALORIA
Chocolate Garoto	Talento bco. gde. pas.	1 barra	100 g	538,0 cal.
	Speed leite amendoim	1 tablete	30 g	137,0 cal.
	ao leite	1 tablete	30 g	156,0 cal.
		1 barra	200 g	1044,0 cal.
	Travel leite c/flocos	1 tablete	24 g	138,0 cal.
	Blond	1 barra	200 g	988,0 cal.
	Golf Branco	1 tablete	30 g	171,0 cal.
	Class	1 barra	200 g	954,0 cal.
	Crocan	1 barra	200 g	954,0 cal.
	Ebony	1 tablete	15 g	90,0 cal.
	meio amargo	1 barra	200 g	1052,0 cal.
	Sunny	1 barra	200 g	936,0 cal.
	Travel	1 barra	180 g	832,0 cal.

ALIMENTO	TIPO	QTDE. PRÁTICA	MEDIDA	CALORIA
Chocolate Lacta	ao leite	1 tablete	30 g	162,0 cal.
	Diamante Negro	1 tablete	30 g	156,0 cal.
	Laka	1 tablete	30 g	165,0 cal.
	Krot	1 tablete	30 g	169,0 cal.
	Fruts	1 barra	200 g	1013,0 cal.
	Amaro	1 barra	200 g	1074,0 cal.
	aerado ao leite	1 tablete	30 g	167,0 cal.
	aerado branco	1 tablete	30 g	167,0 cal.
	aerado misto	1 tablete	30 g	167,0 cal.
	Nossa Turma	1 tablete	25 g	137,0 cal.
	Fricote	1 tablete	30 g	145,0 cal.
	Lancy	1 tablete	30 g	160,0 cal.
	Brek	1 tablete	30 g	140,0 cal.

ALIMENTO	TIPO	QTDE. PRÁTICA	MEDIDA	CALORIA
Nestlé	Rocky	1 tablete	7,5 g	40,0 cal.
	ao leite	1 tablete	30 g	163,0 cal.
		1 barra	200 g	1084,0 cal.
	ao leite c/ avelã	1 barra	180 g	1028,0 cal.
	leite c/ castanha caju	1 barra	200 g	1068,0 cal.
	leite, caju, passas, rum	1 barra	180 g	967,0 cal.
	Diplomata	1 tablete	11 g	60,0 cal.
	Kit-Kat	1 tablete	48 g	240,0 cal.
	meio amargo	1 barra	100 g	526,0 cal.
	Smash	1 tablete	42 g	170,0 cal.
	Turma da Mônica	1 tablete	20 g	112,0 cal.
	Galak	1 tablete	30 g	168,0 cal.
	Galak c/Corn Flakes	1 barra	180 g	961,0 cal.

ALIMENTO	TIPO	QTDE. PRÁTICA	MEDIDA	CALORIA
Nestlé	Suflair	1 tablete	50 g	271,0 cal.
	Suflair Branco	1 tablete	50 g	288,0 cal.
	Surpresa	1 tablete	30 g	163,0 cal.
	Charge	1 tablete	40 g	215,0 cal.
	Choquito	1 tablete	32 g	141,0 cal.
	Milkybar	1 tablete	28 g	130,0 cal.
	Prestígio	1 tablete	33 g	143,0 cal.
	Crunch	1 tablete	24 g	127,0 cal.
	Quik	1 tablete	100 g	545,0 cal.
Choc.Tablete Geral	com leite	1 tablete	30 g	163,0 cal.
	com leite e caju	1 tablete	30 g	160,2 cal.
	com passas e rum	1 tablete	30 g	161,1 cal.
	amargo	1 tablete	30 g	184,6 cal.

ALIMENTO	TIPO	QTDE. PRÁTICA	MEDIDA	CALORIA
Choc. Tablete Geral	meio amargo	1 tablete	30 g	157,8 cal.
	com leite e avelãs	1 tablete	30 g	171,3 cal.
Chope	claro Skol	1 copo próprio	300 ml	128,7 cal.
	claro Brahma	1 copo próprio	300 ml	126,0 cal.
	escuro Skol	1 copo próprio	300 ml	123,2 cal.
	escuro Brahma	1 copo próprio	300 ml	123,0 cal.
	bock Antárctica	1 copo próprio	300 ml	185,7 cal.
	München Antárctica	1 copo próprio	300 ml	147,6 cal.
	pilsener Antárctica	1 copo próprio	300 ml	131,7 cal.
Chouriço	pronto	1 rodela média	25 g	133,5 cal.
Chuchu	branco	1 pires cheio	120 g	81,3 cal.
		1 colher sopa	40 g	27,1 cal.
	maduro	1 pires cheio	120 g	109,5 cal.

ALIMENTO	TIPO	QTDE. PRÁTICA	MEDIDA	CALORIA
Chuchu		1 colher sopa	40 g	36,5 cal.
	verde	1 pires cheio	120 g	37,2 cal.
		1 colher sopa	40 g	12,4 cal.
	refogado	1 pires cheio	120 g	143,3 cal.
		1 colher sopa	30 g	35,8 cal.
	c/ molho branco	1 pires	120 g	156,0 cal.
		1 colher sopa	30 g	39,0 cal.
Chucrute	repolho	1 pires cheio	120 g	23,7 cal.
		1 colher sopa	25 g	4,9 cal.
Cidra	natural	1 média	200 g	100,0 cal.
	geléia	1 colher sopa	50 g	104,4 cal.
	doce	1 colher sopa	30 g	43,0 cal.
	bebida alcoólica	1 taça própria	80 ml	50,0 cal.

ALIMENTO	TIPO	QTDE. PRÁTICA	MEDIDA	CALORIA
Clara de Ovo	(galinha) crua	1 média	30 g	12,9 cal.
	(galinha) cozida	1 média	30 g	16,2 cal.
	(galinha) frita	1 média	30 g	22,0 cal.
Coalhada	leite vaca	1 xícara de chá	200 g	140,0 cal.
		1 colher sopa	20 g	10,4 cal.
		1 colher sobremesa	15 g	7,8 cal.
Coberturas	caramelo	1 colher sopa	15 g	156,0 cal.
	cereja	1 colher sopa	15 g	147,0 cal.
	chocolate ao leite	1 colher sopa	17 g	91,9 cal.
	marshmallow	1 colher sopa	20 g	50,0 cal.
Cocada	mole branca	1 colher sopa	30 g	75,0 cal.
	dura branca	1 unidade	20 g	55,0 cal.
	dura queimada	1 unidade	20 g	60,0 cal.

ALIMENTO	TIPO	QTDE. PRÁTICA	MEDIDA	CALORIA
Cocada	mole com ovos	1 colher sopa	30 g	88,0 cal.
	mole queimada	1 colher sopa	30 g	75,0 cal.
Coco	-da-baía (polpa)	1 pedaço médio	100 g	589,8 cal.
	-da-baía (água de)	1 copo	250 ml	51,5 cal.
	água de Sococo	1 caixa	200 ml	38,8 cal.
	-da-baía ralado fresco	1 xícara de chá	140 g	933,8 cal.
		1 colher sopa	35 g	233,4 cal.
		1 colher sobremesa	20 g	133,4 cal.
		1 colher chá	10 g	71,8 cal.
	-da-baía ralado seco	1 xícara chá	90 g	577,2 cal.
		1 colher sopa	10 g	61,9 cal.
		1 colher sobremesa	6,4 g	39,8 cal.
		1 colher chá	2,8 g	17,4 cal.

ALIMENTO	TIPO	QTDE. PRÁTICA	MEDIDA	CALORIA
Coco	leite coco industr.	1 copo	250 ml	600,0 cal.
		1/2 copo	125 ml	300,0 cal.
		1 colher sopa	10 ml	24,0 cal.
		1 garrafinha	200 ml	480 cal.
	leite Ducoco	1/2 copo	125 ml	125,0 cal.
	leite Sococo	1/2 copo	125 ml	312,5 cal.
		1 caixa	200 ml	500,0 cal.
	leite Sococo Light	1/2 copo	125 ml	150,0 cal.
	bombom	1 médio	15 g	51,4 cal.
	bolo	1 fatia média	55 g	256,6 cal.
	gordura	1 colher sopa	14 g	125,0 cal.
	queimado	1 colher sopa	15 g	45,0 cal.
	mousse	1 taça própria	70 g	353,0 cal.

ALIMENTO	TIPO	QTDE. PRÁTICA	MEDIDA	CALORIA
Coco	ralado fresco	1 colher sopa	20 g	50,0 cal.
	ralado embalado	1 colher sopa	15 g	45,0 cal.
	ralado Sococo	1 pacote	100 g	620,0 cal.
		1 pacote	50 g	310 cal.
		1 colher sopa	15 g	93,0 cal.
	ral. úmido adoçado Sococo	1 pacote	100 g	531,0 cal.
		1 colher sopa	15 g	79,6 cal.
	pudim	1 pedaço médio	80 g	743,0 cal.
	sequilhos	6 unidades	48 g	242,0 cal.
Codorna	crua	1 média com tudo	200 g	335,6 cal.
	ao vinho	1 média	160 g	190,0 cal.
	com bacon	1 média	160 g	219,0 cal.
	picada ao vinagrete	1 porção	125 g	204,0 cal.

ALIMENTO	TIPO	QTDE. PRÁTICA	MEDIDA	CALORIA
Codorna		1 colher sopa	25 g	40,8 cal.
	Perdigão	1 unidade	177,0 g	325,6 cal.
Coelho	carne	1 pedaço médio	100 g	175,0 cal.
	à caçadora	2 fatias	80 g	391,0 cal.
	ensopado	2 fatias	80 g	236,0 cal.
Coentro	natural	1 pires cheio	80 g	238,4 cal.
		1 colher chá	6 g	17,8 cal.
Cogumelo	conserva	1 xícara	244 g	34,1 cal.
		1/2 xícara	122 g	17,0 cal.
		1 colher sopa	30 g	4,1 cal.
	fresco	1 xícara	80 g	14,7 cal.
		1/2 xícara	40 g	7,3 cal.
		1 colher sopa	20 g	3,6 cal.

ALIMENTO	TIPO	QTDE. PRÁTICA	MEDIDA	CALORIA
Cogumelo	cozido	1 xícara de chá	80 g	20,0 cal.
		1/2 xícara	40 g	10,0 cal.
		1 colher sopa	20 g	5,0 cal.
Colorau	pó	1 colher sopa	25 g	63,2 cal.
		1 colher chá	4,5 g	11,3 cal.
		1 colher café	2,8 g	7,0 cal.
Cominho	pó	1 colher sopa	13,3 g	49,2 cal.
		1 colher chá	3,3 g	12,1 cal.
		1 colher café	1,6 g	6,0 cal.
Compota	laranja	1 pires	100 g	103,0 cal.
		1 colher sopa	25 g	25,7 cal.
	casca laranja	1 pires	100 g	303,0 cal.
		1 colher sopa	25 g	75,7 cal.

ALIMENTO	TIPO	QTDE. PRÁTICA	MEDIDA	CALORIA
Compota	manga	1 pires	100 g	137,0 cal.
		1 colher sopa	25 g	34,2 cal.
	abacaxi	1 fatia	100 g	122,0 cal.
	banana	1 pires	100 g	330,0 cal.
		1 colher sopa	25 g	82,5 cal.
	caju	1 pires	80 g	299,0 cal.
		1 colher sopa	20 g	74,7 cal.
	figo	1 figo	50 g	62,0 cal.
	frutas	1 pires	120 g	93,6 cal.
		1 colher sopa	30 g	23,4 cal.
	maçã	1 pires	100 g	46,4 cal.
		1 colher sopa	25 g	11,6 cal.
	manga	1 pires	150 g	154,0 cal.

ALIMENTO	TIPO	QTDE. PRÁTICA	MEDIDA	CALORIA
Compota		1 colher sopa	30 g	30,8 cal.
	pêssego	1/2 unidade	40 g	66,8 cal.
Conhaque	bebida alcóolica	1 dose	50 ml	125,0 cal.
Consommé	concentrado	1 prato fundo	300 ml	51,0 cal.
Copa	maturada Sadia	1 fatia	15 g	52,6 cal.
	Sadia	1 fatia	6 g	22,0 cal.
Coquetel	bloody mary	1 copo próprio	100 ml	130,0 cal.
	daiquiri	1 copo próprio	100 ml	122,0 cal.
Coquetel	manhattan	1 copo próprio	100 ml	164,0 cal.
	frutas	1 copo próprio	100 ml	159,0 cal.
Coração	boi	1 pedaço médio	30 g	31,2 cal.
	carneiro	1 pedaço médio	30 g	39,3 cal.
	cordeiro	1 pedaço médio	30 g	48,9 cal.

ALIMENTO	TIPO	QTDE. PRÁTICA	MEDIDA	CALORIA
Coração	galinha	1 médio	10 g	13,2 cal.
	peru	1 médio	25 g	46,5 cal.
	porco	1 pedaço médio	30 g	37,5 cal.
	vitela	1 pedaço médio	25 g	38,4 cal.
Cordeiro	chuleta assada	1 pedaço médio	150 g	533,8 cal.
	chuleta cozida	1 pedaço médio	150 g	523,9 cal.
	lombo assado	1 pedaço médio	100 g	336,0 cal.
	pernil assado	1 pedaço médio	100 g	193,1 cal.
Corvina	peixe cru	1 pedaço médio	100 g	100,0 cal.
	cozida	1 pedaço médio	100 g	136,3 cal.
	conserva molho tom.	1 colher sopa	33,3 g	49,6 cal.
Costela de Boi	cozida	1 pedaço médio	150 g	453,0 cal.
	assada/grelhada	1 pedaço médio	150 g	427,3 cal.

ALIMENTO	TIPO	QTDE. PRÁTICA	MEDIDA	CALORIA
Couve-de-Bruxelas	cozida aferventada	1 xícara	155 g	55,0 cal.
	conserva	1 média	19 g	6,2 cal.
Couve Chinesa	cozida	1 xícara de chá	170 g	20,0 cal.
Couve-Flor	crua/inflorescência	1 pires cheio	150 g	45,0 cal.
	cozida/inflorescência	1 pires cheio	150 g	46,5 cal.
	conserva	1 xícara	115 g	20,7 cal.
	com molho branco	2 flores grandes	100 g	117,0 cal.
Couve Galega	crua	1 folha	35 g	13,3 cal.
	cozida	1 pires	100 g	27,1 cal.
Couve Gigante	crua	1 folha	60 g	12,0 cal.
Couve Manteiga	crua	1 folha	35 g	8,7 cal.
Couve Rábano	cozida	1 xícara	85 g	20,0 cal.
Couve Tronchuda	crua	1 maço	100 g	20,0 cal.

ALIMENTO	TIPO	QTDE. PRÁTICA	MEDIDA	CALORIA
Coxão Duro	assado	2 fatias	100 g	200,0 cal.
	frito	2 fatias	100 g	235,0 cal.
Coxão Mole	assado	1 filé médio	100 g	200,0 cal.
	frito	1 filé médio	100 g	235,0 cal.
Coxinha	de galinha (grande)	1 unidade	100 g	211,0 cal.
	de galinha(média)	1 unidade	70 g	147,7 cal.
Coxinha	de galinha (pequena) . . .	1 unidade	50 g	105,5 cal.
Creme de Leite	gordo	1 xícara	100 g	381,0 cal.
		1/2 xícara	50 g	190,5 cal.
		1 colher sopa	33,3 g	127,0 cal.
	magro	1 xícara	100 g	190,5 cal.
		1/2 xícara	50 g	95,2 cal.
		1 colher sopa	33,3 g	63,5 cal.

ALIMENTO	TIPO	QTDE. PRÁTICA	MEDIDA	CALORIA
Creme de Leite	Nestlé	1 lata	300 g	747,0 cal.
		1/2 lata	150 g	373,5 cal.
		1 colher sopa	15 g	37,3 cal.
	Nestlé Light	1 lata	290 g	481,4 cal.
		1/2 lata	145 g	240,7 cal.
		1 colher sopa	15 g	24,9 cal.
	Glória	1 lata	300 g	739,0 cal.
		1/2 lata	150 g	369,9 cal.
		1 colher sopa	15 g	37,0 cal.
	Batavo	1 caixa	250 g	622,5 cal.
		1/2 caixa	125 g	311,2 cal.
		1 colher sopa	15 g	37,3 cal.
	Mococa	1 colher sopa	15 g	39,0 cal.

ALIMENTO	TIPO	QTDE. PRÁTICA	MEDIDA	CALORIA
Creme de Leite	Parmalat pasteur.	1 colher sopa	15 g	37,0 cal.
Creme	amendoim	1 colher sobremesa	15 g	88,0 cal.
	chantili caseiro	1 xícara	50 g	221,5 cal.
		1/2 xícara	25 g	110,7 cal.
		1 colher sopa	5 g	22,1 cal.
	chocolate	1 colher sopa	20 g	182,0 cal.
	marshmallow	1 colher sopa	15 g	158,0 cal.
	nata	1 xícara	100 g	463,0 cal.
		1/2 xícara	50 g	231,5 cal.
		1 colher sopa	33,3 g	154,3 cal.
	papaia c/cassis	1 taça	150 g	159,0 cal.
	para café	1 colher de café	5 g	10,0 cal.
	vegetal Becel	1 colher chá	10 g	28,0 cal.

ALIMENTO	TIPO	QTDE. PRÁTICA	MEDIDA	CALORIA
Creme	vegetal Manty	1 colher chá	10 g	50,0 cal.
	vegetal Mazola c/ sal	1 colher chá	10 g	54,0 cal.
	vegetal Mila	1 colher chá	10 g	54,0 cal.
Crepes	de queijo cremoso	1 unidade	100 g	291,0 cal.
	de queijo Camembert	1 unidade	100 g	552,0 cal.
Croissant	pão	1 unidade s/ recheio	60 g	120,0 cal.
Croquete	carne	1 médio	45 g	72,0 cal.
	carne assada	1 pequeno	30 g	41,0 cal.
	couve -flor	1 pequeno	30 g	34,0 cal.
	frango	1 médio	60 g	115,0 cal.
	queijo	1 médio	45 g	80,0 cal.
	camarão	1 médio	45 g	88,0 cal.
Cuba Libre	bebida alcoólica	1 copo próprio	280 ml	205,0 cal.

ALIMENTO	TIPO	QTDE. PRÁTICA	MEDIDA	CALORIA
Cuca (bolo)	goiaba e banana	1 pedaço médio	40 g	179,0 cal.
	banana	1 pedaço médio	40 g	158,0 cal.
Cupim	assado	1 pedaço médio	150 g	375,0 cal.
Cupuaçu	fresco	1 unidade	80 g	57,6 cal.
	suco natural	1 copo próprio	240 ml	72,0 cal.
Curau	milho	1 pires	130 g	274,0 cal.
		1 colher sopa	25 g	52,6 cal.
Curry	pó	1 colher café	6 g	11,0 cal.
Cuscuz	camarão	1 pedaço médio	180 g	328,0 cal.
	frango	1 pedaço médio	180 g	576,0 cal.
	tapioca	1 pedaço médio	180 g	446,4 cal.
	à paulista	1 pedaço médio	180 g	590,4 cal.
	peixe	1 pedaço médio	180 g	288,0 cal.

LETRA D

ALIMENTO	TIPO	QTDE. PRÁTICA	MEDIDA	CALORIA
Daiquiri	coquetel	1 copo próprio	100 ml	122,0 cal.
Damasco	fresco	1 pequeno	50 g	27,0 cal.
	conserva	1 pequeno	50 g	42,8 cal.
	cristalizado	1 unidade	30 g	101,0 cal.
	seco cru	1 xícara	150 g	390,0 cal.
	seco cozido s/açúcar	1 xícara	285 g	240,0 cal.
	geléia	1 colher sopa	50 g	131,2 cal.
		1 colher chá	16,6 g	43,5 cal.
		1 colher de café	8,3 g	21,7 cal.
	suco La Violetera	1 copo	250 ml	139,4 cal.
Dendê	azeite	1 xícara	200 ml	1756,0 cal.
		1/2 xícara chá	100 ml	878,0 cal.
		1 colher sopa	10 ml	87,8 cal.

ALIMENTO	TIPO	QTDE. PRÁTICA	MEDIDA	CALORIA
Dente de Alho	cru	1 dente	5 g	6,7 cal.
		1 cabeça média	50 g	67,0 cal.
Dente de Leão	cru	1 xícara	100 g	45,0 cal.
	cozido	1 xícara	180 g	60,0 cal.
Dobradinha	pronta	1 porção	120 g	346,0 cal.
		1 colher sopa	30 g	86,5 cal.
Doce	abacaxi calda	1 fatia	100 g	122,0 cal.
	abacaxi pasta	1 colher sopa	30 g	118,1 cal.
	abóbora	1 colher sopa	30 g	68,0 cal.
	banana calda	1 porção	100 g	330,0 cal.
	banana pasta	1 colher sopa	30 g	62,3 cal.
	banana c/ chocolate	1 colher sopa	30 g	68,0 cal.
	batata-doce caseiro	1 pedaço	60 g	141,0 cal.

ALIMENTO	TIPO	QTDE. PRÁTICA	MEDIDA	CALORIA
Doce	batata-doce pasta	1 colher sopa	30 g	77,0 cal.
	batata roxa	1 colher sopa	30 g	67,0 cal.
	caju calda	1 porção	80 g	299,0 cal.
	cidra pasta	1 colher sopa	30 g	43,0 cal.
	figo pasta	1 colher sopa	20 g	47,1 cal.
	figo calda	1 figo	50 g	62,0 cal.
	framboesa	1 porção	80 g	212,0 cal.
	frutas calda	1 porção	120 g	93,6 cal.
	goiaba pasta	1 colher sopa	30 g	72,0 cal.
	grape-fruit pasta	1 colher sopa	50 g	127,3 cal.
	laranja calda	1 pires	100 g	103,0 cal.
	laranja pasta	1 colher sopa	30 g	94,8 cal.
	leite cremoso	1 colher sopa	20 g	61,8 cal.

ALIMENTO	TIPO	QTDE. PRÁTICA	MEDIDA	CALORIA
Doce	leite ponto de corte	1 quadrado	40 g	126,4 cal.
	limão pasta	1 colher sopa	50 g	129,0 cal.
	maçã calda	1 colher sopa	25 g	11,6 cal.
	maçã pasta	1 porção	100 g	269,0 cal.
	mamão verde pasta	1 colher sopa	25 g	68,6 cal.
	manga em calda	1 porção	150 g	154,0 cal.
	melão	1 porção	80 g	272,0 cal.
	melancia	1 porção	80 g	137,0 cal.
	pêssego em calda	1/2 médio	40 g	66,8 cal.
	tomate	1 colher sopa	20 g	30,0 cal.
	uva pasta	1 colher sopa	20 g	43,0 cal.
Doce Industr.	Moça Fiesta ameixa	1 colher chá	10 g	31,2 cal.
	Moça Fiesta beijinho	1 colher chá	10 g	34,9 cal.

ALIMENTO	TIPO	QTDE. PRÁTICA	MEDIDA	CALORIA
Doce Industr.	Moça Fiesta brigadeiro	1 colher chá	10 g	33,6 cal.
	Moça Fiesta cajuzinho	1 colher chá	10 g	36,4 cal.
	Moça Fiesta chocolate	1 colher chá	10 g	32,4 cal.
	Moça Fiesta leite c/coco	1 colher chá	10 g	33,0 cal.
	Moça doce de leite	1 pedaço duro	15 g	47,7 cal.
	Moça d. de l. cremoso	1 colher chá	10 g	30,9 cal.
	marmelada Etti	1 fatia	100 g	202,2 cal.
	marrom glacê Etti	1 pedaço médio	60 g	148,2 cal.
	pé-de-moleque	1 unidade	20 g	83,6 cal.

LETRA E				
ALIMENTO	TIPO	QTDE. PRÁTICA	MEDIDA	CALORIA
Empadão	camarão	1 fatia grande	150 g	607,0 cal.
	frango	1 fatia grande	150 g	433,3 cal.
	frango c/ Catupiry	1 fatia grande	150 g	495,0 cal.
	frutos do mar	1 fatia grande	150 g	523,0 cal.
	palmito	1 fatia grande	150 g	491,0 cal.
	peru	1 fatia grande	150 g	275,5 cal.
Empadinha	camarão	1 média	60 g	185,7 cal.
	frango	1 média	60 g	152,0 cal.
	palmito	1 média	60 g	167,0 cal.
Enchova	peixe cozido	1 porção média	60 g	70,8 cal.
	salmoura	1 porção média	60 g	64,8 cal.
	pasta	1 colher chá	7 g	14,4 cal.
	escabeche	1 colher sopa	40 g	70,0 cal.

ALIMENTO	TIPO	QTDE. PRÁTICA	MEDIDA	CALORIA
Enchovinha	crua	1 porção média	60 g	63,0 cal.
Energético	Taffman E	1 frasco	110 ml	72,0 cal.
Enroladinho	salsicha	1 unidade	100 g	293,0 cal.
Erva Doce	natural	1 pires	80 g	15,2 cal.
		1 colher sopa	20 g	3,8 cal.
Ervilha	verde crua	1 xícara	135 g	135,0 cal.
	verde cozida	1 xícara	160 g	112,0 cal.
		1 colher sopa	20 g	14,0 cal.
	seca inteira	1 xícara	200 g	672,6 cal.
	seca quebrada	1 xícara	200 g	696,8 cal.
	lata Arisco	1 lata	200 g	229,0 cal.
		1 colher sopa	20 g	22,9 cal.
	lata Etti	1 lata	200 g	230,0 cal.

ALIMENTO	TIPO	QTDE. PRÁTICA	MEDIDA	CALORIA
Ervilha		1 colher sopa	20 g	23,0 cal.
Escarola	fresca	1 pires	80 g	16,8 cal.
		1 folha média	3 g	0,6 cal.
Esfiha	carne	1 média	60 g	152,0 cal.
	aberta/carne	1 pequena	30 g	54,0 cal.
	aberta/verdura	1 pequena	30 g	48,0 cal.
	queijo	1 unidade	60 g	200,0 cal.
Escalope	vitela	1 porção	100 g	238,4 cal.
		1 colher sopa	25 g	59,6 cal.
Espada	peixe cru	1 porção	100 g	116,0 cal.
	grelhado	1 pedaço médio	80 g	126,4 cal.
	salgado	1 pedaço médio	80 g	134,4 cal.
Espaguete	comum cru	1 pacote	500 g	1738,0 cal.

ALIMENTO	TIPO	QTDE. PRÁTICA	MEDIDA	CALORIA
Espaguete	cozido	1 prato	280 g	410,4 cal.
		1 garfada	25 g	36,6 cal.
	c/ molho de tomate	1 prato	280 g	424,0 cal.
		1 garfada	25 g	37,8 cal.
	c/ molho de queijo	1 prato	280 g	517,0 cal.
		1 garfada	25 g	46,1 cal.
	c/ camarões	1 prato	280 g	484,0 cal.
		1 garfada	25 g	43,2 cal.
	carbonara	1 prato	280 g	776,0 cal.
		1 garfada	25 g	69,2 cal.
	c/ molho ferrugem	1 prato	280 g	755,0 cal.
		1 garfada	25 g	67,4 cal.
	c/ frutos do mar	1 prato	280 g	693,0 cal.

ALIMENTO	TIPO	QTDE. PRÁTICA	MEDIDA	CALORIA
Espaguete		1 garfada	25 g	61,8 cal.
	de glúten	1 prato	280 g	407,7 cal.
Espeto	misto assado	3 pedaços	140 g	384,0 cal.
	carne, cebola, tomate	3 pedaços de carne	80 g	179,0 cal.
	atum, ceb., tom., maçã	4 pedaços de peixe	80 g	132,0 cal.
Espetinho	coxa de frango Seara	1 unidade	100 g	220,0 cal.
	temp. bovino Seara	1 unidade	100 g	111,0 cal.
Espinafre	cru	1 pires	80 g	17,6 cal.
	cozido	1 pires	150 g	33,3 cal.
		1 colher sopa	28 g	6,2 cal.
	conserva	1 pires	150 g	37,5 cal.
		1 colher sopa	28 g	7,0 cal.
	purê	1 pires	120 g	29,6 cal.

ALIMENTO	TIPO	QTDE. PRÁTICA	MEDIDA	CALORIA
Espinafre		1 colher sopa	30 g	7,4 cal.
	suflê	1 pires	100 g	345,0 cal.
		1 colher sopa	20 g	69,0 cal.
Espiga de Milho	aferventada /assada	1 média	160 g	80,0 cal.
Estrogonofe	carne	1 concha	200 g	332,0 cal.
		1 colher sopa	30 g	49,8 cal.
	camarão	1 concha	200 g	346,0 cal.
		1 colher sopa	30 g	51,9 cal.
	frango	1 concha	200 g	268,0 cal.
		1 colher sopa	30 g	40,2 cal.
	carne Sadia	1 caixa	600 g	804,0 cal.
		1 porção	300 g	402,0 cal.
		1 colher sopa	30 g	40,2 cal.

ALIMENTO	TIPO	QTDE. PRÁTICA	MEDIDA	CALORIA
Estrogonofe	frango Sadia	1 caixa	600 g	738,0 cal.
		1 porção	300 g	369,0 cal.
		1 colher sopa	30 g	36,9 cal.
Esturjão	peixe cru	1 pedaço médio	100 g	90,0 cal.
	defumado	1 pedaço médio	80 g	112,8 cal.
	cozido	1 posta média	80 g	128,0 cal.
	caviar	1 colher chá	16,6 g	40,5 cal.
		1 colher café	8,3 g	20,2 cal.
Extrato	tomate Etti	1 lata	370 g	270,2 cal.
		1 latinha	140 g	102,2 cal.
		1 colher sopa	30 g	21,9 cal.
	tomate Cica	1 copo	190 g	127,3 cal.
		1 colher sopa	30 g	20,1 cal.

ALIMENTO	TIPO	QTDE. PRÁTICA	MEDIDA	CALORIA
Extrato	tomate Arisco	1 colher sopa	30 g	21,0 cal.
	tomate Elefante	1 colher sopa	30 g	21,0 cal.

LETRA F

ALIMENTO	TIPO	QTDE. PRÁTICA	MEDIDA	CALORIA
Faisão	cru	2 fatias	50 g	72,0 cal.
	cozido	2 fatias	50 g	105,0 cal.
Farelo	trigo	1 xícara	60 g	144,0 cal.
		1/2 xícara	30 g	72,0 cal.
		1 colher sopa	10 g	24,0 cal.
Farinha	araruta	1 xícara chá	100 g	344,0 cal.
		1/2 xícara chá	50 g	172,0 cal.
		1 colher sopa	20 g	68,8 cal.
	centeio	1 xícara chá	100 g	348,2 cal.
		1/2 xícara chá	50 g	174,1 cal.
		1 colher sopa	12,5 g	43,5 cal.
	glúten	1 xícara chá	140 g	529,0 cal.
		1/2 xícara chá	70 g	264,5 cal.

ALIMENTO	TIPO	QTDE. PRÁTICA	MEDIDA	CALORIA
Farinha		1 colher sopa	25 g	132,2 cal.
	láctea	1 xícara chá	140 g	588,0 cal.
		1/2 xícara chá	70 g	294,0 cal.
		1 colher sopa	25 g	105,0 cal.
	mandioca integral	1 xícara chá	140 g	478,8 cal.
		1/2 xícara chá	70 g	239,4 cal.
		1 colher sopa	23,3 g	79,6 cal.
	milho branca	1 xícara chá	100 g	365,0 cal.
		1/2 xícara chá	50 g	182,5 cal.
		1 colher sopa	12,5 g	45,6 cal.
	milho integral	1 xícara chá	100 g	353,4 cal.
		1/2 xícara chá	50 g	176,7 cal.
		1 colher sopa	12,5 g	44,1 cal.

ALIMENTO	TIPO	QTDE. PRÁTICA	MEDIDA	CALORIA
Farinha	semolina	1 xícara chá	100 g	466,6 cal.
		1/2 xícara chá	50 g	233,3 cal.
		1 colher sopa	15 g	69,9 cal.
	rosca (pão)	1 xícara de chá	100 g	412,0 cal.
		1/2 xícara chá	50 g	206,0 cal.
		1 colher sopa	16,6 g	68,3 cal.
	soja média gordura	1 xícara chá	100 g	379,5 cal.
		1/2 xícara chá	50 g	189,7 cal.
		1 colher sopa	16,6 g	63,2 cal.
	trigo integral	1 xícara chá	140 g	466,6 cal.
		1/2 xícara chá	70 g	233,3 cal.
		1 colher sopa	23,3 g	77,7 cal.
	trigo 80% pura	1 xícara chá	130 g	473,9 cal.

ALIMENTO	TIPO	QTDE. PRÁTICA	MEDIDA	CALORIA
Farinha		1/2 xícara chá	65 g	236,9 cal.
		1 colher sopa	21,6 g	78,9 cal.
	trigo	1 xícara chá	135 g	491,8 cal.
		1/2 xícara chá	67,5 g	245,9 cal.
		1 colher sopa	22,5 g	81,9 cal.
	trigo pura	1 xícara chá	133 g	483,7 cal.
		1/2 xícara chá	66,5 g	241,8 cal.
		1 colher sopa	22,1 g	80,6 cal.
	trigo enriquecida	1 xícara chá	135 g	475,2 cal.
		1/2 xícara chá	67,5 g	237,6 cal.
		1 colher sopa	22,5 g	79,2 cal.
Farofa	couve	1 pires cheio	100 g	334,0 cal.
		1 colher sopa	25 g	83,5 cal.

ALIMENTO	TIPO	QTDE. PRÁTICA	MEDIDA	CALORIA
Farofa	d'água	1 pires cheio	100 g	457,0 cal.
		1 colher sopa	20 g	91,4 cal.
	milho	1 pires cheio	100 g	416,0 cal.
		1 colher sopa	25 g	104,0 cal.
	c/ passas	1 pires cheio	100 g	426,0 cal.
		1 colher sopa	25 g	106,5 cal.
	de pão	1 pires cheio	100 g	259,0 cal.
		1 colher sopa	20 g	51,8 cal.
	c/ castanha	1 pires cheio	100 g	315,0 cal.
		1 colher sopa	25 g	78,7 cal.
	doce	1 pires cheio	100 g	453,0 cal.
		1 colher sopa	25 g	113,2 cal.
	lingüiça	1 pires cheio	130 g	513,0 cal.

ALIMENTO	TIPO	QTDE. PRÁTICA	MEDIDA	CALORIA
Farofa		1 colher sopa	25 g	98,6 cal.
	miúdos frango	1 pires cheio	130 g	400,2 cal.
		1 colher sopa	25 g	76,9 cal.
	simples	1 pires cheio	100 g	302,0 cal.
		1 colher sopa	20 g	60,4 cal.
	pronta Lunardon	1 pires cheio	100 g	386,2 cal.
		1 colher sopa	20 g	77,2 cal.
Fava	crua	1 xícara	150 g	157,0 cal.
	grão seco	1 xícara	100 g	339,0 cal.
		1 colher sopa	25 g	84,7 cal.
Fécula	araruta	1 xícara	150 g	513,0 cal.
		1/2 xícara	75 g	256,5 cal.
		1 colher sopa	25 g	85,5 cal.

ALIMENTO	TIPO	QTDE. PRÁTICA	MEDIDA	CALORIA
Fécula	banana	1 xícara	150 g	429,7 cal.
		1/2 xícara	75 g	214,8 cal.
		1 colher sopa	25 g	71,6 cal.
	batata inglesa	1 xícara	150 g	498,0 cal.
		1/2 xícara	75 g	249,0 cal.
		1 colher sopa	25 g	83,0 cal.
	cozida	1 xícara	240 g	101,0 cal.
		1 colher sopa	35 g	14,7 cal.
	milho	1 xícara	150 g	516,0 cal.
		1/2 xícara	75 g	258,0 cal.
		1 colher sopa	25 g	86,0 cal.
Feijão	cru	1 xícara	180 g	612,0 cal.
	cozido	1 concha média	170 g	200,6 cal.

ALIMENTO	TIPO	QTDE. PRÁTICA	MEDIDA	CALORIA
Feijão		1/2 concha	85 g	100,3 cal.
		1 colher sopa	35 g	41,3 cal.
	branco cru	1 xícara	150 g	510,3 cal.
	branco enlatado	1 concha média	170 g	176,1 cal.
		1/2 concha	85 g	88,0 cal.
		1 colher sopa	35 g	36,2 cal.
	cavalo cru	1 xícara	100 g	336,5 cal.
	fradinho cru	1 xícara	100 g	325,2 cal.
	jalo cru	1 xícara	100 g	349,3 cal.
	manteiga cru	1 xícara	180 g	621,0 cal.
	manteiga cozido	1 concha média	170 g	234,6 cal.
		1/2 concha	85 g	117,3 cal.
		1 colher sopa	35 g	48,3 cal.

ALIMENTO	TIPO	QTDE. PRÁTICA	MEDIDA	CALORIA
Feijão	preto cru	1 xícara	180 g	615,0 cal.
	preto cozido	1 concha média	170 g	144,1 cal.
		1/2 concha	85 g	72,0 cal.
		1 colher sopa	35 g	29,6 cal.
	rosinha cru	1 xícara	180 g	621,0 cal.
	roxinho cru	1 xícara	180 g	629,2 cal.
	roxinho cozido	1 concha média	170 g	200,6 cal.
		1/2 concha	85 g	100,3 cal.
		1 colher sopa	35 g	41,3 cal.
	roxo cru	1 xícara	180 g	601,7 cal.
	verde cru	1 xícara	100 g	42,0 cal.
	vapza	1 porção	100 g	132,0 cal.
		1 colher sopa	35 g	46,2 cal.

ALIMENTO	TIPO	QTDE. PRÁTICA	MEDIDA	CALORIA
Feijoada	caseira	1 concha média	200 g	474,0 cal.
		1/2 concha	110 g	237,0 cal.
	enlatada	1 concha	200 g	276,0 cal.
		1/2 concha	100 g	138,0 cal.
		1 colher sopa	40 g	55,2 cal.
	Swift Premium	1 porção	100 g	96,0 cal.
		1 colher sopa	40 g	38,4 cal.
Fermento	biológico seco Royal	1 colher sopa	20 g	35,0 cal.
		1 colher chá	5 g	8,7 cal.
	pó Royal	1 colher sopa	10 g	16,0 cal.
		1 colher chá	2 g	3,2 cal.
	instant. Fleischmann	1 envelope	10 g	36,0 cal.
	instant. Fleischmann	1 pacote	150 g	528,0 cal.

ALIMENTO	TIPO	QTDE. PRÁTICA	MEDIDA	CALORIA
Fiambre	carne bovina	1 fatia	10 g	18,0 cal.
	c/legumes Batavo	1 fatia	10 g	17,6 cal.
Fígado	boi (cru)	1 filé médio	100 g	130,3 cal.
	boi (frito)	1 filé médio	100 g	168,8 cal.
	carneiro (cru)	1 pedaço médio	50 g	96,7 cal.
	carneiro (na brasa)	1 pedaço médio	50 g	110,0 cal.
	carn. cozido/grelhado	1 pedaço médio	50 g	116,2 cal.
	coelho (cru)	1 colher sopa	25 g	29,5 cal.
	galinha (cru)	1 colher sopa	25 g	34,2 cal.
	galinha (cozido)	1 colher sopa	25 g	41,2 cal.
	ganso (cru)	1 colher sopa	25 g	32,6 cal.
	peru (cru)	1 colher sopa	25 g	34,8 cal.
	porco (cru)	1 colher sopa	25 g	32,8 cal.

ALIMENTO	TIPO	QTDE. PRÁTICA	MEDIDA	CALORIA
Fígado	porco (cozido)	1 colher sopa	25 g	57,4 cal.
	vitela (cru)	1 colher sopa	25 g	31,8 cal.
Fettuccine	à carbonara	1 porção	160 g	643,0 cal.
	à bolonhesa	1 porção	160 g	348,0 cal.
	alho e óleo	1 porção	160 g	353,0 cal.
	à putanesca	1 porção	160 g	703,0 cal.
	à matriciana	1 porção	160 g	619,0 cal.
Figo	verde	1 pequeno	80 g	35,1 cal.
	maduro	1 pequeno	80 g	54,0 cal.
	em calda	1 pequeno	80 g	134,3 cal.
	doce pasta	1 colher sopa	20 g	47,1 cal.
	doce calda	1 figo	50 g	62,0 cal.
	dessecado	1 pequeno	50 g	116,5 cal.

ALIMENTO	TIPO	QTDE. PRÁTICA	MEDIDA	CALORIA
Figo	cozido	1 pequeno	80 g	60,8 cal.
	-da-índia amarelo	1 pequeno	80 g	44,2 cal.
	-da-índia vermelho	1 pequeno	80 g	31,6 cal.
	geléia	1 colher sopa	50 g	139,3 cal.
		1 colher chá cheia	16,6 g	46,2 cal.
		1 colher café cheia	8,3 g	23,1 cal.
	cristalizado	1 médio	60 g	180,0 cal.
Fios de Ovos	caseiro	1 pires	40 g	231,0 cal.
Flan	baun., caram. Danone	1 porção	110 g	149,0 cal.
	baun.,caram. Royal	1 porção	130 g	136,0 cal.
	baun.,chocol. Nestlé	1 porção	110 g	137,0 cal.
	baun.,morango Nestlé	1 porção	110 g	138,0 cal.
	baun.,morango Royal	1 porção	130 g	136,0 cal.

ALIMENTO	TIPO	QTDE. PRÁTICA	MEDIDA	CALORIA
Flan	baunilha Danone	1 porção	110 g	74,0 cal.
	baunilha Ducoco	1 porção	100 g	91,0 cal.
	baunilha Royal	1 porção	140 g	130,0 cal.
	baunilha Otker	1 porção	100 g	107,0 cal.
	chocolate Ducoco	1 porção	100 g	93,0 cal.
	chocolate Royal	1 porção	145 g	154,0 cal.
	coco Ducoco	1 porção	100 g	91,0 cal.
	Dely Yoplait c/ameixa	1 porção	100 g	229,0 cal.
	Dely Yoplait c/morango	1 porção	100 g	229,0 cal.
	Dely/Yoplait/bau.,mor.	1 porção	100 g	229,0 cal.
	leite gelitizado Pauli	1 porção	100 g	97,0 cal.
	diet baun.Royal desn.	1 porção	100 g	53,0 cal.
	diet baun.Royal integ.	1 porção	100 g	85,0 cal.

ALIMENTO	TIPO	QTDE. PRÁTICA	MEDIDA	CALORIA
Flan	diet choc.Royal desn.	1 porção	100 g	51,0 cal.
	baun.,morango Batavo	1 porção	100 g	107,2 cal.
	coco,.caramelo Batavo	1 porção	100 g	106,6 cal.
Flocos	milho	1 colher sopa	15 g	54,0 cal.
	cereais	1 colher sopa	15 g	57,7 cal.
	batata inglesa	1 colher sopa	15 g	51,0 cal.
	coco Ducoco	1 colher sopa	15 g	45,0 cal.
	arroz e trigo	1 colher sopa	15 g	58,3 cal.
Folha	abóbora cozida	1 xícara chá	160 g	29,2 cal.
	batata-doce (cozida)	1 xícara chá	180 g	88,2 cal.
	beterraba (cozida)	1 xícara chá	140 g	53,2 cal.
	mandioca (cozida)	1 xícara chá	140 g	127,4 cal.
	nabo (cozida)	1 xícara chá	140 g	20,0 cal.

ALIMENTO	TIPO	QTDE. PRÁTICA	MEDIDA	CALORIA
Folha	mostarda (cozida)	1 xícara chá	140 g	20,0 cal.
Folheado	doce banana	1 unidade	50 g	159,0 cal.
	doce maçã	1 unidade	50 g	197,0 cal.
	salg./espinafre,ricota	1 unidade	50 g	313,0 cal.
	salgado / frango	1 unidade	50 g	325,0 cal.
	salgado /peru	1 unidade	50 g	375,0 cal.
	salgado / presunto	1 unidade	50 g	370,0 cal.
	massa Arosa	1 pacote	400 g	1220,0 cal.
Fondue	mignon	1 porção média	150 g	347,0 cal.
	chocolate c/ frutas	1 porção média	150 g	391,0 cal.
Framboesa	natural	1 colher sopa	20 g	11,2 cal.
	doce	1 porção	80 g	212,0 cal.
	enlatada em água	1 colher sopa	20 g	7,5 cal.

ALIMENTO	TIPO	QTDE. PRÁTICA	MEDIDA	CALORIA
Framboesa	em calda	1 colher sopa	20 g	58,0 cal.
	doce pasta	1 colher sopa	20 g	57,2 cal.
	geléia	1 colher sopa	50 g	143,2 cal.
	suco	1 copo	250 ml	79,2 cal.
	xarope	1/2 copo	125 ml	325,0 cal.
Franga	crua	1 pedaço médio	100 g	115,7 cal.
Frango	cru	1 pedaço médio	100 g	106,7 cal.
	assado	1 pedaço médio	100 g	109,0 cal.
	asa assada	2 médias	100 g	135,0 cal.
	coração	1 colher sopa	20 g	36,0 cal.
	cozido	1 pedaço médio	100 g	220,0 cal.
	cozido s/ pele	1 pedaço médio	100 g	188,0 cal.
	coxa crua	1 média	100 g	144,0 cal.

ALIMENTO	TIPO	QTDE. PRÁTICA	MEDIDA	CALORIA
Frango	coxa assada c/pele	1 média	100 g	110,0 cal.
	coxa assada s/pele	1 média	100 g	98,0 cal.
	coxa cozida	1 média	100 g	110,0 cal.
	defumado	2 fatias médias	100 g	157,0 cal.
	filé	2 médios	100 g	101,0 cal.
	fígado	1 colher sopa	25 g	31,0 cal.
	de leite	1 pedaço médio	100 g	220,0 cal.
	grelhado	1 pedaço médio	100 g	145,6 cal.
	medalhão c/ bacon	1 pedaço médio	100 g	241,0 cal.
	peito assado	1 pedaço médio	100 g	109,0 cal.
	peito assado s/pele	1 pedaço médio	100 g	98,0 cal.
	peito cozido	1 pedaço médio	100 g	109,0 cal.
	queijo cremoso Sadia	1 caixa	6o0 g	828,0 cal.

ALIMENTO	TIPO	QTDE. PRÁTICA	MEDIDA	CALORIA
Frango	queijo cremoso Sadia	1 porção	300 g	414,0 cal.
		1 colher sopa	30 g	41,4 cal.
	c/catupiry Perdigão	1 caixa	500 g	715,0 cal.
		1 porção	250 g	357,5 cal.
		1 colher sopa	30 g	42,9 cal.
		1 colher sopa	30 g	41,4 cal.
	pescoço	2 médios	100 g	185,0 cal.
	sobrecoxa	1 média	100 g	229,0 cal.
	filé frito	2 médios	100 g	145,5 cal.
	peito empanado	2 médios	100 g	260,0 cal.
	coxa empanada	1 média	100 g	130,0 cal.
	peito empanado	2 médios	100 g	470,0 cal.
	coxa empanada	1 média	100 g	190,0 cal.

ALIMENTO	TIPO	QTDE. PRÁTICA	MEDIDA	CALORIA
Frango	c/ Catupiry	1 porção	250 g	374,0 cal.
	fricassê frango	1 porção	100 g	331,0 cal.
	filé queijo crem. Sadia	1 filé	100 g	158,0 cal.
	filé empanado Sadia	1 filé	100 g	204,0 cal.
	filé grelhado	1 filé	100 g	97,0 cal.
	frango xadrez	1 porção	150 g	329,0 cal.
	frango xadrez Swift	1 porção	150 g	132,0 cal.
	miúdos fritos	1 porção	105 g	277,0 cal.
	moela cozida	1 porção	105 g	153,0 cal.
	à caçadora	1 porção	338 g	310,0 cal.
	filé à parmegiana	1 porção	210 g	308,0 cal.
	salpicão	1 porção média	150 g	380,0 cal.
		1 colher sopa	30 g	76,0 cal.

ALIMENTO	TIPO	QTDE. PRÁTICA	MEDIDA	CALORIA
Frango Caipira	assado	1/2 unidade	180 g	218,0 cal.
	à passarinho	1 porção	80 g	109,0 cal.
	molho agridoce	1 porção	100 g	133,3 cal.
	molho de gengibre	1 porção	100 g	194,0 cal.
	c/ legumes	1 porção	100 g	105,4 cal.
Fritada	calabresa	1 porção	150 g	455,0 cal.
		1 colher sopa	25 g	75,8 cal.
	do mar	1 porção	150 g	463,0 cal.
		1 colher sopa	25 g	77,1 cal.
	siri	1 porção	150 g	569,0 cal.
		1 colher sopa	25 g	94,8 cal.
	moela	1 porção	150 g	634,0 cal.
		1 colher sopa	25 g	105,6 cal.

ALIMENTO	TIPO	QTDE. PRÁTICA	MEDIDA	CALORIA
Fritada	italiana	1 porção	150 g	413,0 cal.
		1 colher sopa	25 g	68,8 cal.
Frutas	em coquetel	1 porção	50 g	38,9 cal.
	geléia	1 colher sopa	50 g	142,1 cal.
		1 colher chá cheia	16,6 g	47,1 cal.
		1 colher café cheia	8,3 g	23,5 cal.
	salada caseira	1 porção	120 g	138,0 cal.
		1 colher sopa	28 g	32,2 cal.
	doce calda caseiro	1 porção	120 g	93,6 cal.
	em calda industr.	1 porção	120 g	86,4 cal.
	cristalizadas caseira	1 porção	100 g	310,0 cal.
	cristalizadas industr.	1 porção	100 g	306,0 cal.
	secas	1 porção	100 g	243,0 cal.

ALIMENTO	TIPO	QTDE. PRÁTICA	MEDIDA	CALORIA
Frutas	caramelizadas	1 porção	270 g	120,0 cal.
Fruta-do-Conde	(pinha) fresca	1 unidade	200 g	138,0 cal.
Fruta-Pão	natural	1/2 unidade média	150 g	144,0 cal.
	cozida	1/2 unidade média	150 g	181,5 cal.
Fubá	milho	1 xícara chá	120 g	413,5 cal.
		1/2 xícara	60 g	206,7 cal.
		1 colher sopa	18 g	62,0 cal.
	não refinado	1 xícara	120 g	427,8 cal.
		1/2 xícara	60 g	213,9 cal.
		1 colher sopa	18 g	64,1 cal.
	refinado	1 xícara	120 g	432,7 cal.
		1/2 xícara	60 g	216,3 cal.
		1 colher sopa	18 g	64,8 cal.

ALIMENTO	TIPO	QTDE. PRÁTICA	MEDIDA	CALORIA
Fubá	degermin. enriq.cozido	1 xícara	240 g	120,0 cal.
		1/2 xícara	120 g	60,0 cal.
		1 colher sopa	30 g	15,0 cal.
	germinado cozido	1 xícara	240 g	120,0 cal.
		1/2 xícara	120 g	60,0 cal.
		1 colher sopa	30 g	15,0 cal.
Funcho	natural	1 pires	60 g	11,1 cal.
		1 colher sopa	10 g	1,8 cal.

LETRA G

ALIMENTO	TIPO	QTDE. PRÁTICA	MEDIDA	CALORIA
Galinha	aferventada	1 pedaço médio	100 g	136,0 cal.
	asa grelhada	1 média	25 g	34,0 cal.
	asa frita	1 média	25 g	67,0 cal.
	carne clara assada	1 pedaço médio	80 g	184,0 cal.
	carne escura assada	1 pedaço médio	80 g	108,8 cal.
	coxa grelhada	1 média	60 g	81,6 cal.
	coxa frita	1 média	60 g	142,2 cal.
	fígado cozido	1/2 xícara	90 g	148,5 cal.
	frita	1 pedaço médio	100 g	137,0 cal.
	miúdos	1 pires	100 g	160,0 cal.
	moela	1 pires	100 g	77,0 cal.
	peito frito	1 pedaço médio	100 g	109,7 cal.
	em conserva	1 porção	100 g	226,0 cal.

ALIMENTO	TIPO	QTDE. PRÁTICA	MEDIDA	CALORIA
Galinha		1 colher sopa	25 g	56,5 cal.
	desidratada	1 porção	100 g	387,5 cal.
	salgada	1 pedaço médio	100 g	135,0 cal.
Garoupa São-Tomé	peixe cru	1 pedaço médio	100 g	88,5 cal.
	cozida	1 pedaço médio	100 g	137,8 cal.
Garoupa Verdadeira	crua	1 pedaço médio	100 g	87,0 cal.
	cozida	1 pedaço médio	100 g	116,3 cal.
Gelatina	pó c/ açúcar	1 porção	100 g	392,4 cal.
	preparada	1 porção	100 g	67,2 cal.
	folhas	1 porção	100 g	343,0 cal.
	abacaxi Assugrin	1 porção	81 g	6,0 cal.

ALIMENTO	TIPO	QTDE. PRÁTICA	MEDIDA	CALORIA
Gelatina	abacaxi Diet Doce Menor	1 porção	85,5 g	6,0 cal.
	abacaxi Diet Otker	1 porção	100 g	24,0 cal.
	abacaxi Diet Royal	1 porção	100 g	11,0 cal.
	abacaxi Gold Aspart.	1 porção	85,5 g	5,0 cal.
	abacaxi Otker	1 porção	100 g	68,0 cal.
	abacaxi Royal	1 porção	100 g	76,0 cal.
	abacaxi Diet Adocyl	1 porção	83,39 g	5,5 cal.
	abacaxi Sol	1 porção	100 g	68,0 cal.
	cereja Assugrin	1 porção	81 g	6,0 cal.
	cereja Diet Doce Menor	1 porção	85,5 g	6,0 cal.
	cereja Diet Otker	1 porção	100 g	24,0 cal.
	cereja Diet Royal	1 porção	125 g	11,0 cal.
	cereja Gold Aspartam.	1 porção	85,5 g	5,0 cal.

ALIMENTO	TIPO	QTDE. PRÁTICA	MEDIDA	CALORIA
Gelatina	cereja Otker	1 porção	100 g	68,0 cal.
	cereja Diet Adocyl	1 porção	83,3 g	5,5 cal.
	cereja Royal	1 porção	145 g	76,0 cal.
	cereja Sol	1 porção	100 g	68,0 cal.
	cola Otker	1 porção	100 g	67,0 cal.
	framboesa Assugrin	1 porção	81 g	6,0 cal.
	framb.Diet Doce Menor	1 porção	85,5 g	6,0 cal.
	framboesa Diet Otker	1 porção	100 g	24,0 cal.
	framboesa Diet Adocyl	1 porção	83,3 g	5,5 cal.
	framboesa Diet Royal	1 porção	125 g	11,0 cal.
	framb. Gold Aspart.	1 porção	85,5 g	5,0 cal.
	framboesa Otker	1 porção	145 g	68,0 cal.
	framboesa Royal	1 porção	145 g	76,0 cal.

ALIMENTO	TIPO	QTDE. PRÁTICA	MEDIDA	CALORIA
Gelatina	frutas tropicais Otker	1 porção	100 g	68,0 cal.
	guaraná Otker	1 porção	100 g	68,0 cal.
	limão Diet Doce Menor	1 porção	85,5 g	6,0 cal.
	limão Diet Otker	1 porção	100 g	24,0 cal.
	limão Diet Sol	1 porção	100 g	10,0 cal.
	limão Otker	1 porção	100 g	68,0 cal.
	limão Royal	1 porção	145 g	76,0 cal.
	limão Sol	1 porção	100 g	68,0 cal.
	limão Treme-Treme	1 porção	120 g	79,0 cal.
	morango Assugrin	1 porção	81 g	6,0 cal.
	morango Diet Doce Menor	1 porção	81 g	6,0 cal.
	morango Diet Adocyl	1 porção	83,3 g	5,5 cal.
	morango Diet Otker	1 porção	100 g	24,0 cal.

ALIMENTO	TIPO	QTDE. PRÁTICA	MEDIDA	CALORIA
Gelatina	morango Diet Royal	1 porção	125 g	11,0 cal.
	morango Diet Sol	1 porção	100 g	10,0 cal.
	morango Gold Aspart.	1 porção	85,5 g	5,5 cal.
	morango Otker	1 porção	100 g	68,0 cal.
	morango Royal	1 porção	145 g	76,0 cal.
	morango Sol	1 porção	100 g	68,0 cal.
	morango Treme-Treme	1 porção	120 g	79,0 cal.
	pêssego Diet Sol	1 porção	100 g	10,0 cal.
	pêssego Otker	1 porção	100 g	69,0 cal.
	frutas Diet Adocyl	1 porção	83,3 g	5,5 cal.
	s/sabor branca Royal	1 pacote	12 g	40,0 cal.
	tanger.Diet Doce Menor	1 porção	85,5 g	6,0 cal.
	tanger. Diet Adocyl	1 porção	83,3 g	5,5 cal.

ALIMENTO	TIPO	QTDE. PRÁTICA	MEDIDA	CALORIA
Gelatina	tutti-fruti Royal	1 porção	145 g	76,0 cal.
	uva Diet Doce Menor	1 porção	85,5 g	6,0 cal.
	uva Otker	1 porção	145 g	68,0 cal.
	uva Royal	1 porção	100 g	76,0 cal.
	uva Sol	1 porção	100 g	68,0 cal.
Geléia	abacaxi	1 colher sopa cheia	50 g	159,2 cal.
	amora	1 colher sopa cheia	50 g	116,7 cal.
	cidra	1 colher sopa cheia	50 g	104,4 cal.
	damasco	1 colher sopa cheia	50 g	131,2 cal.
	figo	1 colher sopa cheia	50 g	139,3 cal.
	framboesa	1 colher sopa cheia	50 g	143,2 cal.
	frutas	1 colher sopa cheia	50 g	142,1 cal.
	goiaba	1 colher sopa cheia	50 g	153,9 cal.

ALIMENTO	TIPO	QTDE. PRÁTICA	MEDIDA	CALORIA
Geléia	goiaba Superbon	1 colher sopa cheia	50 g	153,3 cal.
	goiaba Turma da Mônica	1 colher sopa cheia	50 g	130,0 cal.
	laranja	1 colher sopa cheia	50 g	170,0 cal.
	limão	1 colher sopa cheia	50 g	124,8 cal.
	maçã	1 colher sopa cheia	50 g	127,3 cal.
	marmelo	1 colher sopa cheia	50 g	160,9 cal.
	mocotó	1 colher sopa cheia	50 g	42,0 cal.
	mocotó framb. Arisco	1 colher sopa cheia	50 g	73,5 cal.
	mocotó morango Arisco	1 colher sopa cheia	50 g	73,5 cal.
	mocotó natural	1 colher sopa cheia	50 g	89,5 cal.
	mocotó tutti-fruti	1 colher sopa cheia	50 g	73,5 cal.
	mocotó vitaminada	1 colher sopa cheia	50 g	89,5 cal.
	morango	1 collher sopa cheia	50 g	129,1 cal.

ALIMENTO	TIPO	QTDE. PRÁTICA	MEDIDA	CALORIA
Geléia	morango Superbon	1 colher sopa cheia	50 g	130,0 cal.
	morango Cica	1 colher sopa cheia	50 g	130,0 cal.
	pêra	1 colher sopa cheia	50 g	131,3 cal.
	uva	1 colher sopa cheia	50 g	136,3 cal.
	uva Superbon	1 colher sopa cheia	50 g	136,6 cal.
	uva preta Cica	1 colher sopa cheia	50 g	130,0 cal.
Geléia diet	Doce Menor abacaxi . . .	1 colher sopa cheia	50 g	30,0 cal.
	Doce Menor damasco . .	1 colher sopa cheia	50 g	46,6 cal.
	Doce Menor laranja . . .	1 colher sopa cheia	50 g	20,0 cal.
	Doce Menor maracujá .	1 colher sopa cheia	50 g	26,6 cal.
	Doce Menor morango . .	1 colher sopa cheia	50 g	23,3 cal.
	Ritter abacaxi	1 colher sopa cheia	50 g	30,3 cal.
	Ritter goiaba	1 colher sopa cheia	50 g	26,9 cal.

ALIMENTO	TIPO	QTDE. PRÁTICA	MEDIDA	CALORIA
Geléia diet	Ritter laranja	1 colher sopa cheia	50 g	31,1 cal.
	Ritter morango	1 colher sopa cheia	50 g	28,3 cal.
	Ritter uva	1 colher sopa cheia	50 g	29,1 cal.
Gema	ovo galinha cru	1 unidade média	15 g	52,8 cal.
	ovo galinha cozido	1 unidade média	15 g	54,4 cal.
	ovo galinha desidratado	1 unidade média	10 g	61,9 cal.
	ovo galinha frito	1 unidade média	15 g	85,0 cal.
Gemada	ovo galinha	1 porção	150 g	315,0 cal.
Gengibre	rizoma	1 porção média	50 g	15,7 cal.
	pó	1 colher chá	5 g	15,0 cal.
Genipapo	licor	1 dose	20 ml	90,0 cal.
Gergelim	sementes	1 colher sopa	10 g	59,3 cal.
	óleo	1 xícara de chá	200 ml	1800,0 cal.

ALIMENTO	TIPO	QTDE. PRÁTICA	MEDIDA	CALORIA
Gergelim		1/2 xícara de chá	100 ml	900,0 cal.
	óleo	1 colher sopa	14 ml	126,0 cal.
	pasta Istambul	1 colher sopa	25 g	160,0 cal.
	torrão Istambul	1 torrão	16 g	98,0 cal.
Gérmen	de trigo	1 colher sopa	15 g	54,9 cal.
	de trigo tostado	1/2 xícara	60 g	216,0 cal.
Gin	bebida alcoólica	1 dose	30 ml	60,0 cal.
	c/tônica	1 copo próprio	100 ml	100,0 cal.
Girassol	semente	1 colher sopa	5 g	29,2 cal.
	semente seca	1 colher sopa	5 g	28,0 cal.
	semente torrada	1 colher sopa	5 g	16,9 cal.
	óleo de	1 xícara de chá	200 ml	1800,0 cal.
		1/2 xícara de chá	100 ml	900,0 cal.

ALIMENTO	TIPO	QTDE. PRÁTICA	MEDIDA	CALORIA
Girassol		1 colher sopa	14 ml	126,0 cal.
Glacê (p/bolo)	Royal	500 g açúcar confeit.	600 g	1970,0 cal.
	Mazot	270 g açúcar refin.	360 g	1210,0 cal.
Goiaba	amarela fresca	1 unidade pequena	100 g	39,6 cal.
	branca fresca	1 unidade pequena	100 g	57,4 cal.
	vermelha fresca	1 unidade pequena	100 g	42,5 cal.
	geléia de	1 colher sopa cheia	50 g	153,9 cal.
	em calda/metades Etti	1 porção média	100 g	274,0 cal.
	doce	1 colher sopa	30 g	72,0 cal.
	suco Maguary	1/3 copo	67 ml	14,0 cal.
	suco Milani	1/3 copo	67 ml	18,0 cal.
Goiabada	industrializada	1 fatia média	100 g	274,6 cal.
	Cica	1 fatia média	100 g	268,0 cal.

ALIMENTO	TIPO	QTDE. PRÁTICA	MEDIDA	CALORIA
Goiabada	Etti	1 fatia média	100 g	260,9 cal.
Gordura	de boi	1 colher sopa	20 g	179,6 cal.
	de coco babaçu	1 colher sopa	20 g	176,6 cal.
	de porco (crua)	1 colher sopa	20 g	162,6 cal.
	vegetal hidrog. Saúde	1 colher sopa	20 g	180,0 cal.
Goulash	cozido músculo	1 porção média	150 g	223,0 cal.
Grão de Aveia	cru	1 colher sopa	15 g	48,0 cal.
Grão-de-Bico	verde não dessecado	1 colher sopa	20 g	20,0 cal.
	dessecado cru	1 colher sopa	20 g	69,0 cal.
	cozido	1 colher sopa	20 g	23,0 cal.
	pasta de	1 porção	250 g	459,0 cal.
		1 colher sopa	30 g	55,0 cal.
	conserva	1 colher sopa	20 g	19,3 cal.

ALIMENTO	TIPO	QTDE. PRÁTICA	MEDIDA	CALORIA
Grão-de-Bico	lata Cica	1 lata	190 g	269,8 cal.
		1 colher sopa	20 g	28,4 cal.
	bolinho	1 unidade	30 g	27,0 cal.
Granola	Kellogg's	1/2 xícara	40 g	160,0 cal.
	Kellogg's c/ leite desnat.	1 xícara	120 g	200,0 cal.
	c/castanhas	1 xícara	60 g	300,0 cal.
Grape-Fruit	fresca	1 média	200 g	93,8 cal.
	doce pasta	1 colher sopa	50 g	127,3 cal.
	suco	1 copo	250 ml	109,7 cal.
	conserva	1/2 xícara	100 g	30,0 cal.
	conserva no xarope	1 xícara	254 g	180,0 cal.
Graviola	fresca	1 unidade	100 g	60,0 cal.
	suco	1 copo	250 ml	270,0 cal.

ALIMENTO	TIPO	QTDE. PRÁTICA	MEDIDA	CALORIA
Groselha	branca	1 colher sopa	10 g	3,1 cal.
	-da-índia	1 colher sopa	10 g	3,5 cal.
	preta	1 colher sopa	10 g	3,5 cal.
	suco	1 copo	250 ml	105,0 cal.
	xarope	1/2 copo	125 ml	123,2 cal.
	conserva	1 xícara	240 g	62,4 cal.
	conserva no xarope	1 xícara	240 g	216,0 cal.
Guajiru	polpa	1 colher sopa	35 g	19,0 cal.
Guabiroba	fresca	1 unidade	100 g	64,0 cal.
Guando	cru verde	1 porção	100 g	291,2 cal.
	seco cru	1 porção	100 g	332,8 cal.
	verde cozido	1 porção	100 g	135,0 cal.
Guaraná	amêndoas	1 xícara	100 g	68,4 cal.

ALIMENTO	TIPO	QTDE. PRÁTICA	MEDIDA	CALORIA
Guaraná	refrig. tradicional	1 lata	350 ml	112,0 cal.
	refr. Antárctica Diet	1 lata	350 ml	1,3 cal.
	refrig. Brahma Light	1 lata	350 ml	2,0 cal.
	Power Leão	1 copo	300 ml	119,1 cal.

LETRA H

ALIMENTO	TIPO	QTDE. PRÁTICA	MEDIDA	CALORIA
Haddock	peixe cru	1 filé médio	100 g	73,7 cal.
	defumado	1 filé médio	100 g	76,6 cal.
	cozido	1 filé médio	100 g	100,0 cal.
	frito	1 filé médio	100 g	165,0 cal.
	em conserva	1 porção	100 g	103,0 cal.
		1 colher sopa	25 g	25,7 cal.
	c/ batatas	1 porção	150 g	331,0 cal.
	c/ nozes	1 porção	150 g	354,0 cal.
Hambúrguer	bovino Sadia	1 unidade	56 g	107,0 cal.
	Max Búrger Sadia	1 unidade	120 g	206,0 cal.
	Seara	1 unidade	56 g	139,0 cal.
	calabresa Seara	1 unidade	56 g	149,0 cal.
	chester Perdigão	1 unidade	56 g	121,0 cal.

ALIMENTO	TIPO	QTDE. PRÁTICA	MEDIDA	CALORIA
Hambúrguer	frango Sadia	1 unidade	90 g	212,0 cal.
	frango Seara	1 unidade	56 g	131,0 cal.
	frango milan. Granja	1 unidade	75 g	174,0 cal.
	frango Swift Bordon	1 unidade	96 g	179,0 cal.
	peru Sadia	1 unidade	90 g	127,0 cal.
	sanduíche	1 unidade	90 g	296,0 cal.
Halibut	peixe cru	1 filé	100 g	121,0 cal.
	peixe defumado	1 filé	100 g	218,0 cal.
	assado	1 filé	100 g	160,0 cal.
	grelhado	1 filé	100 g	130,0 cal.
Hipoglosso	peixe cru	1 posta média	100 g	121,0 cal.
	defumado	1 posta média	100 g	218,0 cal.
	cozido	1 porção média	100 g	127,0 cal.

ALIMENTO	TIPO	QTDE. PRÁTICA	MEDIDA	CALORIA
Homus	pasta de grão-de-bico	1 porção	250 g	459,0 cal.
		1 colher sopa	30 g	55,0 cal.
Hortelã	folhas	1 pires	50 g	16,0 cal.
	folhas e talos	1 pires	50 g	26,6 cal.

LETRA I

ALIMENTO	TIPO	QTDE. PRÁTICA	MEDIDA	CALORIA
Ingá	polpa	1 colher sopa	30 gr.	97,0 cal.
Inhame	raíz s/ casca	1 porção	50 g	33,4 cal.
	talos	1 porção	50 g	12,0 cal.
	cozido	1 unidade	130 g	190,0 cal.
Iogurte	Agite acerola Danone	1 saquinho	100 g	81,0 cal.
	Agite acerola Danone	1 copo	200 g	90,0 cal.
	Agite morango Danone	1 copo	200 g	162,0 cal.
	Bat Gut Yoplait maracujá	1 copo	200 g	156,0 cal.
	Bat Gut Yoplait morango	1 copo	200 g	158,0 cal.
	Bat Gut Yoplait pêssego	1 copo	200 g	158,0 cal.
	Bliss coco Nestlé	1 copo	200 g	190,0 cal.
	Bliss morango Nestlé	1 copo	200 g	174,0 cal.
	Bliss uva	1 copo	200 g	187,0 cal.

ALIMENTO	TIPO	QTDE. PRÁTICA	MEDIDA	CALORIA
Iogurte	Bliss moran., framb.	1 copo	200 g	188,0 cal.
	Chambinho morango	1 copo	45 g	71,0 cal.
	Maxi Chamb.morango	1 copo	60 g	94,6 cal.
	Chamy morango	1 copo	200 g	168,0 cal.
	Chamy laranja,acerola	1 copo	200 g	168,0 cal.
	Chamy frutas sortidas	1 copo	100 g	85,0 cal.
	Chamy geléia,moran.	1 copo	130 g	153,0 cal.
	Chamyto Nestlé	1 unidade	80 g	60,0 cal.
	coalhada	1 xícara de chá	200 g	140,0 cal.
	Corpus Diet Polpa Dan.	1 copo	130 g	59,0 cal.
	Corpus Diet ameixa,coco	1 copo	130 g	77,0 cal.
	Batavinho frutas	1 copinho	90 g	148,9 cal.
	Batavinho morango	1 copinho	90 g	146,0 cal.

ALIMENTO	TIPO	QTDE. PRÁTICA	MEDIDA	CALORIA
Iogurte	Batavo c/ mel	1 copo	200 g	210,0 cal.
	Batavo polpa pêssego	1 copo	120 g	170,0 cal.
	Batavo Diet polp. frutas	1 copo	120 g	57,0 cal.
	Batavo morango	1 copo	200 g	206,0 cal.
	Danimal's Fruta Cálcio	1 copo	120 g	167,0 cal.
	Danone batido desn.	1 copo	200 g	126,0 cal.
	Danone morango/mel	1 copo	200 g	203,0 cal.
	Danoninho	1 embalagem	140 g	213,0 cal.
	Danoninho fruta/cereais	1 pote	65 g	71,0 cal.
	Danoninho morango	1 pote	45 g	50,0 cal.
	Dan'up abacaxi c/ hort.	1 unidade	200 g	172,0 cal.
	Dan'up acerola	1 unidade	200 g	172,0 cal.
	Dan'up Danone	1 unidade	200 g	172,0 cal.

ALIMENTO	TIPO	QTDE. PRÁTICA	MEDIDA	CALORIA
Iogurte	Dan'up kiwi	1 unidade	200 g	172,0 cal.
	Dan'up maçã,mamão	1 unidade	200 g	172,0 cal.
	Danu'up morango	1 unidade	200 g	172,0 cal.
	Fruty Pauli frutas	1 unidade	200 g	170,0 cal.
	Fruty Pauli maçã	1 unidade	200 g	172,0 cal.
	Fruty Pauli maracujá	1 unidade	200 g	178,0 cal.
	Fruty Pauli morango	1 unidade	200 g	180,0 cal.
	Goly Gurt coco Avaré	1 copo	200 g	184,0 cal.
	Goly Gurt acer., mamão	saquinho	190 g	175,0 cal.
	Goly Gurt morango	1 copo	200 g	184,0 cal.
	batido mel Nestlé	1 copo	200 g	160,0 cal.
	batido mel Paulista	1 copo	200 g	225,0 cal.
	batido Danone	1 copo	200 g	84,0 cal.

ALIMENTO	TIPO	QTDE. PRÁTICA	MEDIDA	CALORIA
Iogurte	c/ mel Danone	1 copo	200 g	222,0 cal.
	c/ mel Nestlé	1 copo	200 g	226,0 cal.
	mel,laranja,cenoura Danone	1 copo	200 g	226,0 cal.
	mel,laranja,cenoura Nestlé	1 copo	200 g	219,0 cal.
	polpa am. preta Parmalat	1 copo	120 g	123,9 cal.
	polpa coco Danone	1 copo	120 g	118,0 cal.
	polpa coco Nestlé	1 copo	120 g	139,0 cal.
	polpa morango Parmalat	1 copo	120 g	124,0 cal.
	polpa morango Batavo	1 copo	120 g	128,4 cal.
	polpa morango Danone	1 copo	120 g	118,0 cal.
	polpa morango Nestlé	1 copo	120 g	133,0 cal.
	polpa morango Parmalat	1 copo	120 g	124,0 cal.
	polpa pêssego Parmalat	1 copo	120 g	121,5 cal.

ALIMENTO	TIPO	QTDE. PRÁTICA	MEDIDA	CALORIA
Iogurte	polpa salada/frutas Nestlé	1 copo	120 g	137,0 cal.
	desnatado Danone	1 copo	200 g	126,0 cal.
	desnatado Nestlé	1 copo	185 g	95,0 cal.
	Diet polpa maracujá Nestlé	1 copo	150 g	72,0 cal.
	Diet polpa morango Nestlé	1 copo	150 g	72,0 cal.
	Diet líq. morango Nestlé	1 copo	190 g	61,0 cal.
	Diet natural Nestlé	1 copo	170 g	85,0 cal.
	natural Nestlé	1 copo	200 g	154,0 cal.
	natural Paulista	1 copo	200 g	89,0 cal.
	Kissy cereal Batavo	1 copo	200 g	179,0 cal.
	Choco Krispis Vigor	1 copo	200 g	220,0 cal.
	Mix sucrilhos Vigor	1 copo	200 g	220,0 cal.
	Neston cereal frutas	1 copo	120 g	128,0 cal.

ALIMENTO	TIPO	QTDE. PRÁTICA	MEDIDA	CALORIA
Iogurte	Ninho Soleil cer.,frutas	1 copo	120 g	137,0 cal.
	Ninho Soleil maçã, banana	1 copo	150 g	159,0 cal.
	Ninho Soleil moran.,cereais	1 copo	150 g	157,0 cal.
	Ninho S.p. frutas cereais	1 copo	120 g	137,0 cal.
	Ninho S.p.maçã,ban.,cer.	1 copo	150 g	159,0 cal.
	Ninho S.p.moran.,cer.	1 copo	120 g	137,0 cal.
	Shake it moran. Nestlé	1 pote	400 g	376,0 cal.
	Shake it pêss. Nestlé	1 pote	400 g	376,0 cal.
	Yolat mor. Parmalat	1 copo	200 g	158,0 cal.
	Yolat pêss. Parmalat	1 copo	200 g	150,0 cal.
	Yug's morango	1 copo	200 g	171,0 cal.
	Mix Visconti Ioiô	1 colher sopa	25 g	93,0 cal.
	Nut Cream Visconti	1 colher sopa	25 g	163,0 cal.

ALIMENTO	TIPO	QTDE. PRÁTICA	MEDIDA	CALORIA
Isotônico	Gatorade abacaxi	1 frasco	591 ml	134,7 cal.
	Gatorade framboesa	1 frasco	591 ml	134,7 cal.
	Gatorade frutas cítricas	1 frasco	591 ml	141,0 cal.
	Gatorade kiwi	1 frasco	591 ml	134,7 cal.
	Gatorade limão	1 frasco	591 ml	141,8 cal.
	Gatorade maracujá	1 frasco	591 ml	141,8 cal.
	Gatorade morango	1 frasco	591 ml	134,7 cal.
	Gatorade tangerina	1 frasco	591ml	141,8 cal.
	Marathon graviola	1 frasco	500 ml	126,0 cal.
	Marathon kiwi	1 frasco	500 ml	126,0 cal.
	Marathon limão	1 frasco	500 ml	126,0 cal.
	Marathon melancia	1 frasco	500 ml	126,0 cal.
	Marathon tangerina	1 frasco	500 ml	126,0 cal.

LETRA J

ALIMENTO	TIPO	QTDE. PRÁTICA	MEDIDA	CALORIA
Jabá	carne seca/ charque	1 pedaço médio	100 gr.	295,5 cal.
Jabuticaba	fresca	15 médias	100 g	44,9 cal.
	suco concentrado	1 xícara	240 ml	112,5 cal.
Jaca	polpa	1 pires	100 g	52,0 cal.
	caroço	1 pires	100 g	136,0 cal.
Jacaré	carne crua	1 filé médio	100 g	108,0 cal.
Jacunda	peixe cru	1 filé médio	100 g	106,0 cal.
	salgada	1 filé médio	100 g	334,0 cal.
Jambo	fresco	2 médios	80 g	40,0 cal.
Jamelão	fresco	1 porção	100 g	66,6 cal.
Jenipapo	fresco	1 porção	100 g	81,7 cal.
	licor	1 cálice	20 ml	90,0 cal.
Jerimum	cru	1 pires	168 g	80,7 cal.

ALIMENTO	TIPO	QTDE. PRÁTICA	MEDIDA	CALORIA
Jerimum	cozido	1/2 xícara	100 g	40,0 cal.
	purê	1 pires	100 g	133,0 cal.
		1 colher sopa	33,3 g	44,3 cal.
Jatobá	fresco	1 porção	100 g	115,0 cal.
Jiló	fresco	5 unidades	100 g	38,0 cal.
Juá	fresco	5 unidades	100 g	79,0 cal.
Jurubeba	fresca	1 pires	80 g	32,8 cal.

LETRA K

ALIMENTO	TIPO	QTDE. PRÁTICA	MEDIDA	CALORIA
Kafta	c/ molho	1 porção	300 g	526,0 cal.
Kami Kama	pronto	1 rolinho	20 g	20,0 cal.
Kassler	carne	1 porção	150 g	1398,0 cal.
Kir	vinho c/licor cassis	1 copo	240 ml	80,0 cal.
Ketchup	Arisco	1 colher sopa	15 g	19,5 cal.
	Cocinero	1 colher sopa	15 g	23,0 cal.
	Etti	1 colher sopa	15 g	16,8 cal.
	tradicional Cica	1 colher sopa	15 g	21,0 cal.
Kiwi	fresco	1 unidade	48 g	46,0 cal.
	suco	1 copo	250 ml	95,8 cal.

LETRA L

ALIMENTO	TIPO	QTDE. PRÁTICA	MEDIDA	CALORIA
Lactose	pó	1 xícara chá	100 g	399,7 cal.
		1 colher sopa	20 g	79,9 cal.
Lagarto	cozido	1 pedaço médio	100 g	117,0 cal.
	cru	1 pedaço médio	100 g	170,0 cal.
	assado	1 pedaço médio	100 g	208,0 cal.
	frio (pronto)	1 pedaço médio	100 g	180,0 cal.
	vitela assada	4 fatias	100 g	145,0 cal.
	vitela cozida	4 fatias	100 g	145,0 cal.
	vitela crua	4 fatias	100 g	115,0 cal.
	recheado	1 porção	130 g	393,0 cal.
Lagosta	crua	1 porção	100 g	84,0 cal.
	cozida	1 porção	100 g	98,0 cal.
	em conserva	1 porção	100 g	160,6 cal.

ALIMENTO	TIPO	QTDE. PRÁTICA	MEDIDA	CALORIA
Lagosta	grelhada c/ manteiga	1 porção	100 g	154,0 cal.
	à Newburg	1/2 xícara	112 g	217,2 cal.
	pasta	1 colher chá	7 g	12,6 cal.
	salada	1/2 xícara	100 g	110,0 cal.
	calda ao forno	1 cauda	200 g	309,0 cal.
	thermidor	1 cauda	200 g	557,0 cal.
Lagostim	crua	6 unidades	100 g	112,0 cal.
		1 unidade	18,6 g	18,6 cal.
	conserva	1 porção	100 g	111,4 cal.
		1 colher sopa	25 g	28,6 cal.
Laranja	fresca	1 média	180 g	81,9 cal.
	-da-baía	1 média	180 g	75,6 cal.
	china	1 média	150 g	70,2 cal.

ALIMENTO	TIPO	QTDE. PRÁTICA	MEDIDA	CALORIA
Laranja	-da-terra	1 média	150 g	26,2 cal.
	pêra	1 média	150 g	64,5 cal.
	seleta	1 média	150 g	78,9 cal.
	baía	1 média	150 g	63,0 cal.
	japonesa	5 unidades	100 g	48,0 cal.
	suco conc. lata puro	1/2 copo	125 ml	319,0 cal.
	suco Frut-Up Avaré	1 copo	250 ml	102,5 cal.
	suco integ. Parmalat	1 copo	250 ml	100,0 cal.
	suco integ. Swift	1 copo	250 ml	120,0 cal.
	suco natural	1 copo	250 ml	141,2 cal.
	compota	1 pires	100 g	103,0 cal.
		1 colher sopa	25 g	25,7 cal.
	compota da casca	1 pires	100 g	303,0 cal.

ALIMENTO	TIPO	QTDE. PRÁTICA	MEDIDA	CALORIA
Laranja		1 colher sopa	25 g	75,7 cal.
	doce pasta	1 colher sopa	30 g	94,8 cal.
	geléia	1 colher sopa cheia	50 g	170,0 cal.
	geléia Doce Menor	1 colher sopa cheia	50 g	20,0 cal.
	casca cristalizada	1 colher sopa	20 g	63,2 cal.
	salada	1 porção	100 g	121,0 cal.
		1 colher sopa	25 g	30,2 cal.
Lasanha	massa c/ ovos	1 porção	55 g	165,0 cal.
	massa Frescarini	1 pacote	500 g	1445,0 cal.
		1 massa	17,8 g	53,2 cal.
	massa Adria	1 porção	100 g	358,0 cal.
	à bolonhesa	1 porção	100 g	209,0 cal.
	à bolon. Swift Premiun	1 porção	100 g	140,0 cal.

ALIMENTO	TIPO	QTDE. PRÁTICA	MEDIDA	CALORIA
Lasanha	Bolognese Findus	1 porção	100 g	209,0 cal.
	frango/vegetais Sadia	1 caixa	650 g	890,5 cal.
		1 porção	325 g	445,2 cal.
	4 queijos Sadia	1 caixa	650 g	1098,5 cal.
		1 porção	325 g	549,2 cal.
	bolonhesa Sadia	1 caixa	650 g	858,0 cal.
		1 porção	325 g	429,0 cal.
Lecitina	granulada	1 colher sopa	7,5 g	68,0 cal.
	líquida	1 colher sopa	16 g	25,0 cal.
Leite	albuminoso pó	1 colher sopa	15 g	72,4 cal.
	colostro	1 colher sopa	10 g	4,7 cal.
	búfala	1 copo	250 ml	263,2 cal.
	burra	1 copo	250 ml	135,2 cal.

ALIMENTO	TIPO	QTDE. PRÁTICA	MEDIDA	CALORIA
Leite	cabra	1 copo	250 ml	230,0 cal.
	camela	1 copo	250 ml	156,5 cal.
	coco	1 copo	250 ml	600,0 cal.
	égua	1 copo	125 ml	509,5 cal.
	jumenta	1 copo	125 ml	102,5 cal.
	mulher	1 copo	125 ml	165,7 cal.
	ovelha	1 copo	125 ml	268,5 cal.
	vaca (natural)	1 copo	125 ml	157,5 cal.
	vaca (desnatado)	1 copo	125 ml	90,2 cal.
	vaca (magro)	1 copo	125 ml	135,0 cal.
	vaca (soro)	1 copo	125 ml	74,0 cal.
	vaca (evaporado)	1 copo	125 ml	271,0 cal.
	vaca (integral cru)	1 copo	125 ml	157,5 cal.

ALIMENTO	TIPO	QTDE. PRÁTICA	MEDIDA	CALORIA
Leite	vaca (pasteurizado)	1 copo	125 ml	152,5 cal.
	maltado (pó)	1 colher sopa	15 g	66,7 cal.
	maltado c/chocolate	1 colher sopa	15 g	59,0 cal.
	soja (industrializado)	1 copo	250 ml	285,0 cal.
	soja (pó)	1 colher sopa	35 g	150,1 cal.
	creme de (gordo)	1 xícara	100 g	381,0 cal.
	c/ chocolate	1 copo	250 ml	167,7 cal.
	c/ chocolate e açúcar	1 copo	250 ml	252,9 cal.
	c/ malte	1 copo	250 ml	468,3 cal.
	comum	1 copo	250 ml	150,0 cal.
	comum Leco	1 copo	250 ml	156,2 cal.
	condensado Nestlé	1 lata	395 g	1283,7 cal.
	desnat.Long Paulista	1 copo	250 ml	87,5 cal.

ALIMENTO	TIPO	QTDE. PRÁTICA	MEDIDA	CALORIA
Leite	pó integral Glória	1 copo	250 ml	185,0 cal.
	pó integral Mococa	1 colher sopa	20 g	99,0 cal.
	pó desnatado Glória	2 colheres sopa	40 g	75,0 cal.
	pó Molico	2 colheres sopa	40 g	72,0 cal.
	pó Ninho Crescimento	2 colheres sopa	40 g	130,0 cal.
	pó Ninho instantâneo	2 colheres sopa	40 g	129,0 cal.
	pó Ninho tradicional	2 colheres sopa	40 g	129,0 cal.
	integral	1 copo	250 ml	155,0 cal.
	integral TP Glória	1 copo	250 ml	155,0 cal.
	integral Paulista	1 copo	250 ml	155,0 cal.
	Light Parmalat	1 copo	250 ml	81,2 cal.
	longa vida Parmalat Diet	1 copo	250 ml	91,2 cal.
	l.v. c/ferro Parmalat	1 copo	250 ml	152,5 cal.

ALIMENTO	TIPO	QTDE. PRÁTICA	MEDIDA	CALORIA
Leite	l.v. integ.Parmalat	1 copo	250 ml	251,2 cal.
	l.v. Molico desnat.	1 copo	250 ml	90,0 cal.
	semidesnatado Glória	1 copo	250 ml	120,0 cal.
	semidesnatado Leco	1 copo	250 ml	115,0 cal.
	Silhouette Glória	1 copo	250 ml	88,7 cal.
	tipo B	1 copo	250 ml	187,5 cal.
	tipo C	1 copo	250 ml	177,5 cal.
Leite Cond.	Nestlé	1 lata	395 g	1283,7 cal.
		1/2 lata	197,5 g	641,8 cal.
		1 colher sopa	20 g	65,0 cal.
	Glória	1 lata	395 g	1303,5 cal.
		1/2 lata	197,5 g	651,7 cal.
		1 colher sopa	20 g	66,0 cal.

ALIMENTO	TIPO	QTDE. PRÁTICA	MEDIDA	CALORIA
Leite Cond.	Mococa	1 colher sopa	20 g	66,0 cal.
Leite (Doces)	Moça Fiesta ameixa	1 colher chá	10 g	31,2 cal.
	Moça Fiesta beijinho	1 colher chá	10 g	34,9 cal.
	Moça Fiesta brigadeiro	1 colher chá	10 g	33,6 cal.
	Moça Fiesta cajuzinho	1 colher chá	10 g	36,4 cal.
	Moça Fiesta chocolate	1 colher chá	10 g	32,4 cal.
	Moça Fiesta d.leite/coco	1 colher chá	10 g	33,0 cal.
	doce de leite Moça	1 pedaço duro	15 g	47,4 cal.
	d.leite Moça cremoso	1 colher sopa	20 g	61,8 cal.
		1 colher chá	10 g	30,9 cal.
Leite Ferment.	Chamyto Nestlé	1 frasco	80 g	60,0 cal.
	LC 1 Nestlé	1 frasco	150 g	129,0 cal.
	LC 1 light Nestlé	1 frasco	150 g	60,0 cal.

ALIMENTO	TIPO	QTDE. PRÁTICA	MEDIDA	CALORIA
Leite Ferment.	Yakult	1 frasco	80 g	61,0 cal.
Leite Gelificado	Chandelle chocolate	1 unidade	100 g	143,0 cal.
	Chandelle choc.branco	1 unidade	100 g	145,0 cal.
	Chandelle papaia/ cassis	1 unidade	100 g	130 ,0 cal.
	Chandelle morango	1 unidade	100 g	137,0 cal.
	Danette chocolate	1 unidade	120 g	100,0 cal.
	Danette choc.branco	1 unidade	120 g	84,0 cal.
	Danette doce de leite	1 unidade	120 g	83,5 cal.
	Deli Cream chocolate	1 unidade	100 g	155,0 cal.
	Delicius chocolate	1 unidade	110 g	141,0 cal.
	Delicius baunilha	1 unidade	110 g	132,0 cal.
	Danfrut papaia/ cassis	1 unidade	110 g	162,0 cal.
	Do-Ré-Mi chocolate	1 unidade	100 g	135,0 cal.

ALIMENTO	TIPO	QTDE. PRÁTICA	MEDIDA	CALORIA
Leite Gelificado	Do-Ré-Mi choc.branco.	1 unidade	100 g	151,0 cal.
	Do-Ré-Mi papaia/ cassis	1 unidade	100 g	119,0 cal.
	Dueta morango	1 unidade	110 g	178,0 cal.
	Dueta coco c/ameixa	1 unidade	110 g	163,0 cal.
	gelificado Galak	1 unidade	110 g	181,0 cal.
	gelificado Pauli choc.	1 unidade	120 g	97,0 cal.
	Pauli Cream choc.	1 unidade	120 g	108,0 cal.
Leitão	cru	1 fatia	100 g	380,0 cal.
	de leite assado	2 fatias	150 g	247,0 cal.
	pururuca	1 porção	100 g	548,0 cal.
Lentilha	seca crua	1/2 xícara	60 g	209,1 cal.
	seca cozida	1 colher sopa	20 g	25,4 cal.
	purê em conserva	1 pires	100 g	36,5 cal.

ALIMENTO	TIPO	QTDE. PRÁTICA	MEDIDA	CALORIA
Lentilha		1 colher sopa	20 g	7,3 cal.
	salada	1 porção	100 g	298,0 cal.
		1 colher sopa	20 g	59,6 cal.
Levedo	cerveja (pó)	1 colher chá	6 g	20,7 cal.
	prensado fresco	1 porção	50 g	54,0 cal.
Licores	geral	1 cálice	20 ml	68,4 cal.
	anisete	1 cálice	20 ml	74,0 cal.
	aniz	1 cálice	20 ml	68,0 cal.
	Beneditino	1 cálice	20 ml	69,0 cal.
	cacau	1 cálice	20 ml	90,0 cal.
	cassis	1 cálice	20 ml	103,0 cal.
	chocolate	1 cálice	20 ml	103,0 cal.
	frutas	1 cálice	20 ml	103,0 cal.

ALIMENTO	TIPO	QTDE. PRÁTICA	MEDIDA	CALORIA
Licores	jenipapo	1 cálice	20 ml	90,0 cal.
	menta	1 cálice	20 ml	67,0 cal.
Lima	fresca	1 pequena	100 g	50,4 cal.
	suco	1 copo	250 ml	92,5 cal.
	ácida	1 unidade	60 g	16,8 cal.
	-da-Pérsia	1 pequena	100 g	32,0 cal.
Limão	caiana	3 unidades	100 g	27,0 cal.
	cristalizado	1 colher sopa	20 g	63,2 cal.
	doce	3 unidades	100 g	36,8 cal.
	galego	1 unidade	20 g	13,0 cal.
	mousse	1 porção	70 g	270,0 cal.
	doce pasta	1 colher sopa	50 g	129,9 cal.
	geléia	1 colher sopa	50 g	124,8 cal.

ALIMENTO	TIPO	QTDE. PRÁTICA	MEDIDA	CALORIA
Limão	verde	3 unidades	100 g	28,0 cal.
	suco puro	1/4 copo	62,5 ml	45,0 cal.
		1 colher sopa	20 ml	14,4 cal.
Limonada	pronta	1 copo	250 ml	260,0 cal.
Língua	boi (crua)	1 pedaço	100 g	158,4 cal.
	boi (cozida)	1 pedaço	80 g	229,8 cal.
	boi (defumada)	1 pedaço	100 g	307,2 cal.
	boi (dessecada)	1 pedaço	100 g	299,1 cal.
	boi (em conserva)	1 pedaço	100 g	156,4 cal.
	boi (salgada)	1 pedaço	100 g	238,4 cal.
	carneiro (crua)	1 pedaço	50 g	138,3 cal.
	ovelha (crua)	1 pedaço	50 g	157,8 cal.
	porco (crua)	1 pedaço	50 g	151,8 cal.

ALIMENTO	TIPO	QTDE. PRÁTICA	MEDIDA	CALORIA
Língua	porco (defumada)	1 pedaço	50 g	193,5 cal.
	porco (em banha)	1 pedaço	50 g	163,7 cal.
	vitela (crua)	1 pedaço	50 g	161,0 cal.
Linguado	assado /grelhado	2 filés	100 g	87,0 cal.
	ao curry	2 filés	100 g	90,0 cal.
	c/hortelã e limão	2 filés	100 g	112,0 cal.
	cozido /aferventado	2 filés	100 g	202,0 cal.
Lingüiça	porco (fina crua)	2 lingüiças	100 g	304,0 cal.
	porco (grossa crua)	1 lingüiça	100 g	350,0 cal.
	porco (grossa enlat.)	1 lingüiça	100 g	377,0 cal.
	porco (s/ defumar)	2 lingüiças	100 g	350,9 cal.
	tipo Frankfurt	2 lingüiças	100 g	248,0 cal.
	bolonha	1 fatia	30 g	66,0 cal.

ALIMENTO	TIPO	QTDE. PRÁTICA	MEDIDA	CALORIA
Lingüiça	de fígado	1 fatia	30 g	79,0 cal.
	calabresa	1 fatia	22 g	109,7 cal.
	defumada	1 fatia	30 g	125,0 cal.
	fresca	1 fatia	32 g	98,2 cal.
	caseira	1 fatia	30 g	103,5 cal.
	salgada	2 finas	84 g	233,5 cal.
	calabr. curada Sadia	1 lingüiça	100 g	312,0 cal.
	calabr. curada Seara	1 lingüiça	100 g	324,0 cal.
	calabr. enrolada Sadia	1 porção	100 g	204,0 cal.
	calabr. Guanabara Sadia	1 porção	100 g	339,0 cal.
	calabr. lanche Seara	1 porção	100 g	287,0 cal.
	calabr. vácuo Sadia	1 porção	100 g	325,0 cal.
	calabr. verde F. Sadia	1 porção	100 g	121,0 cal.

ALIMENTO	TIPO	QTDE. PRÁTICA	MEDIDA	CALORIA
Lingüiça	calabr. fina Seara	1 porção	100 g	296,0 cal.
	calabresa Seara	1 porção	100 g	314,0 cal.
	calabr. defum. Batavo	1 porção	100 g	131,0 cal.
	carne porco Sadia	1 porção	100 g	285,0 cal.
	frango Seara	1 porção	100 g	234,0 cal.
	pernil Seara	1 porção	100 g	291,0 cal.
	pernil fresca Seara	1 porção	100 g	216,0 cal.
	lombo Sadia	1 porção	100 g	285,1 cal.
	porco Perdigão	1 porção	100 g	390,0 cal.
	Frankfurt cozida	1 porção	100 g	216,0 cal.
	Frescal lombo Sadia	1 porção	100 g	167,0 cal.
	Frescal verde Sadia	1 porção	100 g	237,0 cal.
	suína defum. fina Seara	1 porção	100 g	314,0 cal.

ALIMENTO	TIPO	QTDE. PRÁTICA	MEDIDA	CALORIA
Lingüiça	toscana Seara	1 porção	100 g	277,0 cal.
Lombo	boi (cru)	1 porção	100 g	193,1 cal.
	boi (assado)	1 porção	100 g	290,0 cal.
	porco (cru)	1 porção	100 g	362,6 cal.
	porco (cozido defumado)	1 porção	100 g	389,0 cal.
	porco (assado)	1 porção	100 g	272,0 cal.
	cozido cubos Seara	1 porção	100 g	133,0 cal.
	porco agridoce	1 porção	100 g	184,6 cal.
	suíno Sadia	1 porção	100 g	182,0 cal.
	carneiro (assado)	1 porção	80 g	179,1 cal.
	cordeiro (assado)	1 fatia	100 g	336,0 cal.
	porco (empanado)	1 porção	225 g	745,0 cal.
	porco (frito)	1 porção	225 g	1215,0 cal.

ALIMENTO	TIPO	QTDE. PRÁTICA	MEDIDA	CALORIA
Lombo	porco (xadrez)	1 porção	150 g	253,2 cal.
	canadense Sadia	1 fatia	10 g	14,0 cal.
	canadense Seara	1 fatia	10 g	13,0 cal.
	defumado Sadia	1 fatia	10 g	18,9 cal.
	defumado Seara	1 fatia	10 g	20,0 cal.
Lula	crua	1 pires	100 g	87,0 cal.
	cozida	1 pires	100 g	92,1 cal.
	frita	1 pires	100 g	190,0 cal.
	à milanesa	10 lulas	100 g	380,0 cal.
	c/ gergelim	1 porção	100 g	216,0 cal.

LETRA M				
ALIMENTO	TIPO	QTDE. PRÁTICA	MEDIDA	CALORIA
Macarrão	caseiro cru	1 porção	100 g	318,0 cal.
	caseiro cozido	1 porção	160 g	168,0 cal.
	cru sem ovos	1 porção	100 g	344,0 cal.
	c/ ovos (cru)	1 porção	100 g	353,3 cal.
	c/ ovos (cozido)	1 porção	160 g	153,6 cal.
	de arroz	1 porção	100 g	360,0 cal.
	macarronada	1 porção	160 g	388,8 cal.
	enriquecido (cozido)	1 porção	130 g	190,0 cal.
	c/ queijo caseiro	1 porção	160 g	344,0 cal.
	à carbonara Arisco	1 xícara	100 g	362,0 cal.
	à carbonara Maggi	1 xícara	100 g	402,0 cal.
	c/ brócolis Maggi	1 xícara	100 g	386,0 cal.
	Adria italianíssimo c/ovos	1 xícara	100 g	354,0 cal.

ALIMENTO	TIPO	QTDE. PRÁTICA	MEDIDA	CALORIA
Macarrão	Adria sêmola	1 xícara	100 g	344,0 cal.
	Matriciana Maggi	1 xícara	100 g	387,0 cal.
	champig. ervas fr. Maggi	1 xícara	100 g	381,0 cal.
	ao queijo Maggi	1 xícara	100 g	398,0 cal.
	cabelo de anjo Adria	1 xícara	100 g	358,0 cal.
	c/molho de carne	1 xícara	100 g	120,0 cal.
	c/molho tom. e queijo	1 xícara	100 g	104,0 cal.
	industrial cozido	1 xícara	100 g	154,0 cal.
	De Cecco fettuccine	1 xícara	100 g	350,0 cal.
	integral cozido	1 xícara	100 g	122,0 cal.
	oriental carne, ovos	1 pacote	200 g	325,0 cal.
	oriental carne s/ovos	1 pacote	200 g	325,0 cal.
	oriental galin. c/ovos	1 pacote	200 g	323,0 cal.

ALIMENTO	TIPO	QTDE. PRÁTICA	MEDIDA	CALORIA
Macarrão	oriental galin. s/ovos	1 pacote	200 g	323,0 cal.
	oriental queijo c/ovos	1 pacote	200 g	329,0 cal.
	oriental tom .c/ovos	1 pacote	200 g	332,0 cal.
	oriental tomate s/ovos	1 pacote	200 g	325,0 cal.
	oriental espag.c/ovos	1 pacote	200 g	396,0 cal.
	à bolonhesa	1 porção	160 g	198,4 cal.
	ao sugo	1 porção	160 g	163,2 cal.
	alho e óleo	1 porção	160 g	350,4 cal.
	Nissin bolonhesa	1 pacote	90 g	500,0 cal.
	Nissin calabresa	1 pacote	90 g	495,0 cal.
	Nissin carne	1 pacote	90 g	499,9 cal.
	Nissin galinha	1 pacote	90 g	500,0 cal.
	c/ovos Maggi	1 xícara	100 g	363,0 cal.

ALIMENTO	TIPO	QTDE. PRÁTICA	MEDIDA	CALORIA
Macarrão	de sêmola Maggi	1 xícara	100 g	357,0 cal.
	c/ovos Todeschini	1 xícara	100 g	392,0 cal.
	c/ovos Ninhos Todeschini	1 xícara	100 g	392,0 cal.
	c/sêmola Todeschini	1 xícara	100 g	362,0 cal.
	c/sêm.longos Todeschini	1 xícara	100 g	362,0 cal.
	c/sêm.Ninhos Todeschini	1 xícara	100 g	362,0 cal.
	c/verdura,leg. Todeschini	1 xícara	100 g	357,0 cal.
	Petybon c/ovos cozido	1 xícara	100 g	143,0 cal.
	Petybon comum cozido	1 xícara	100 g	140,0 cal.
	lámen bacon Nissin	1 pacote	80 g	399,0 cal.
	lámen caldo carne Nissin	1 pacote	80 g	394,0 cal.
	lámen camarão Nissin	1 pacote	80 g	396,0 cal.
	lámen carne Nissin	1 pacote	80 g	396,0 cal.

ALIMENTO	TIPO	QTDE. PRÁTICA	MEDIDA	CALORIA
Macarrão	lámen galinha caip. Nissin	1 pacote	80 g	394,0 cal.
	lámen galinha Nissin	1 pacote	80 g	395,0 cal.
	lámen legumes Nissin	1 pacote	80 g	397,0 cal.
	lámen T. da Mônica carne	1 pacote	80 g	369,0 cal.
	lám. T. da Mônica galin.	1 pacote	80 g	369,0 cal.
	lám. T. da Mônica tomate	1 pacote	80 g	371,0 cal.
	molho de tomate para	1 xícara	160 ml	131,0 cal.
		1 colher sopa	20 ml	16,3 cal.
Macadâmia	fresca	1/2 xícara	30 g	210,0 cal.
Maçã	branca crua	1 média	160 g	96,9 cal.
	vermelha crua	1 média	160 g	101,1 cal.
	cozida c/ açúcar	1/2 xícara	156 g	122,0 cal.
	dessecada	1/2 xícara	100 g	187,6 cal.

ALIMENTO	TIPO	QTDE. PRÁTICA	MEDIDA	CALORIA
Maçã	compota	1 colher sopa	25 g	11,6 cal.
	conserva ou enlatada	1/2 xícara	130 g	61,2 cal.
	farinha	1 colher sopa	15 g	54,6 cal.
	passa	1/2 xícara	100 g	293,0 cal.
	purê açucarado	1 colher sopa	25 g	20,1 cal.
	ácida	1 pequena	100 g	68,0 cal.
	suco	1 copo	250 ml	124,5 cal.
	suco Izzy	1 copo	250 ml	110,0 cal.
	do amor	1 unidade	160 g	492,8 cal.
	doce em pasta	1 porção	100 g	269,0 cal.
		1 colher sopa	25 g	67,2 cal.
	torta	1 pedaço médio	135 g	350,0 cal.
	geléia	1 colher sopa	50 g	127,3 cal.

ALIMENTO	TIPO	QTDE. PRÁTICA	MEDIDA	CALORIA
Maionese	molho caseiro	1 colher sopa	20 g	201,1 cal.
	Cocinero	1 colher sopa	20 g	149,0 cal.
	Gourmet Culinária	1 colher sopa	20 g	129,0 cal.
	Gourmet Tradicional	1 colher sopa	20 g	129,0 cal.
	Hellmann's	1 colher sopa	20 g	144,0 cal.
	Hellmann's c/limão	1 colher sopa	20 g	144,0 cal.
	Hellmann's Light	1 colher sopa	20 g	66,0 cal.
	Maionegg's	1 colher sopa	20 g	143,0 cal.
	Light Milleto	1 colher sopa	20 g	66,6 cal.
	com batata	1 pires	150 g	360,0 cal.
		1 colher sopa	50 g	120,0 cal.
	com repolho	1 xícara de chá	120 g	172,8 cal.
		1 colher sopa	30 g	43,2 cal.

ALIMENTO	TIPO	QTDE. PRÁTICA	MEDIDA	CALORIA
Maisena	pó	1 xícara	100 g	345,3 cal.
		1 colher sopa	20 g	69,0 cal.
	Nutre	1 colher sopa	15 g	54,0 cal.
Malte	amarelo	1 colher sopa	15 g	54,6 cal.
	verde	1 colher sopa	15 g	58,0 cal.
	em pó	1 colher sopa	15 g	55,2 cal.
	tostado	1 colher sopa	15 g	51,9 cal.
Mamão	verde	1 fatia	100 g	58,0 cal.
	maduro	1 fatia	100 g	68,0 cal.
	papaia	1 unidade	100 g	89,0 cal.
	doce de mamão verde	1 colher sopa	25 g	68,6 cal.
Maminha	alcatra assada ou grelh.	2 fatias	120 g	169,0 cal.
	c/molho de tomate	2 fatias	120 g	227,1 cal.

ALIMENTO	TIPO	QTDE. PRÁTICA	MEDIDA	CALORIA
Mandioca	cozida	1 média	25 g	29,7 cal.
	frita	1 média	25 g	88,0 cal.
	farinha	1 xícara	140 g	478,8 cal.
		1/2 xícara	70 g	239,4 cal.
		1 colher sopa	23,3 g	79,6 cal.
	folha cozida	1 xícara chá	140 g	127,4 cal.
	polvilho	1 xícara	120 g	422,4 cal.
		1 colher sopa	15 g	52,8 cal.
Mandioquinha	cozida	1 pires	150 g	187,5 cal.
		1 colher sopa	50 g	62,5 cal.
Manga	natural	1 média	200 g	128,6 cal.
	rosa	1 média	250 g	175,7 cal.
	espada	1 média	150 g	108,4 cal.

ALIMENTO	TIPO	QTDE. PRÁTICA	MEDIDA	CALORIA
Manga	em calda	1 pires	150 g	154,0 cal.
	suco Maguary	1/3 copo	67 ml	28,0 cal.
	suco Milani	1/2 copo	83,3 ml	68,7 cal.
	compota	1 pires	100 g	137,0 cal.
Mangalô	grão	1/2 xícara	60 g	200,4 cal.
Manjar	c/ameixas secas, caseiro	1 porção	136 g	212,2 cal.
		1 colher sopa	25 g	39,0 cal.
	c/calda de ameixa, Royal	1 porção	120 g	148,0 cal.
		1 colher sopa	25 g	30,8 cal.
	coco, calda ameixa, Nestlé	1 porção	90 g	128,0 cal.
		1 colher sopa	25 g	35,5 cal.
	Ducoco	1 porção	100 g	115,0 cal.
		1 colher sopa	25 g	28,7 cal.

ALIMENTO	TIPO	QTDE. PRÁTICA	MEDIDA	CALORIA
Manjar	Royal	1 porção	150 g	164,0 cal.
		1 colher sopa	25 g	27,3 cal.
	Qualimax	1 porção	140 g	171,0 cal.
		1 colher sopa	25 g	30,5 cal.
	de coco, Royal	1 porção	150 g	164,0 cal.
		1 colher sopa	25 g	27,3 cal.
Manjuba	peixe cru	10 unidades	100 g	99,0 cal.
	frita	10 unidades	100 g	285,0 cal.
	salgada	10 unidades	100 g	176,0 cal.
Manhattan	bebida alcoólica	1 copo próprio	85 ml	260,0 cal.
Manteiga	caseira	1 colher sopa	15 g	106,5 cal.
	sem sal	1 colher sopa	15 g	113,1 cal.
	com sal	1 colher sopa	15 g	114,9 cal.

ALIMENTO	TIPO	QTDE. PRÁTICA	MEDIDA	CALORIA
Manteiga	50%mant.,50%marg.Vigor	1 colher sopa	15 g	110,7 cal.
Maracujá	comum (polpa)	1 colher sopa	20 g	18,0 cal.
	doce (polpa)	1 porção	80 g	88,8 cal.
		1 colher sopa	20 g	22,2 cal.
	melão	1 colher sopa	20 g	19,6 cal.
	vermelho	1 colher sopa	20 g	23,4 cal.
	suco Maguary	1/3 copo	83,3 ml	12,4 cal.
	suco Tonyu Yakult	1 caixa	200 ml	120,0 cal.
	mousse	1 porção	70 g	255,5 cal.
		1 colher sopa	15 g	54,7 cal.
	geléia Doce Menor	1 colher sopa	50 g	26,6 cal.
Margarina	comum	1 colher chá	10 g	76,6 cal.
	vegetal	1 colher chá	10 g	72,0 cal.

ALIMENTO	TIPO	QTDE. PRÁTICA	MEDIDA	CALORIA
Margarina	batida	1 colher chá	10 g	71,4 cal.
	Alpina	1 colher chá	10 g	37,0 cal.
	Claybon	tablete	100 g	740,0 cal.
	Delícia Cremosa	1 colher chá	10 g	74,0 cal.
	Delícia Forno e Fogão	1 colher chá	10 g	74,0 cal.
	Halvarina Cremosy	1 colher chá	10 g	36,0 cal.
	Halvarina Delícia Light	1 colher chá	10 g	36,0 cal.
	Halvarina Deline Sadia	1 colher chá	10 g	37,0 cal.
	Halvarina Primorina	1 colher chá	10 g	36,0 cal.
	Primor	1 colher chá	10 g	74,0 cal.
	Qualy com sal	1 colher chá	10 g	75,0 cal.
	Qualy sem sal	1 colher chá	10 g	75,0 cal.
	Sofiteli	1 colher chá	10 g	74,0 cal.

ALIMENTO	TIPO	QTDE. PRÁTICA	MEDIDA	CALORIA
Margarina	Doriana light	1/2 xícara	100 g	360,0 cal.
		1 colher chá	10 g	36,0 cal.
	Doriana comum cremosa	1/2 xícara	100 g	750,0 cal.
		1 colher chá	10 g	75,0 cal.
	Doriana Yofresch	1/2 xícara	100 g	350,0 cal.
		1 colher chá	10 g	35,0 cal.
	Doriana Culinária	1/2 xícara	100 ml	1.250,0 cal.
		1 colher chá	6 g	75,0 cal.
	50%Marg. 50%Manteiga	1 colher sopa	15 g	110,7 cal.
Maria-Mole	Caseira	1 porção	50 g	90,0 cal.
		1 colher sopa	15 g	27,0 cal.
	Royal	1 porção	50 g	99,5 cal.
		1 colher sopa	15 g	29,8 cal.

ALIMENTO	TIPO	QTDE. PRÁTICA	MEDIDA	CALORIA
Maria-Mole	Otker	1 porção	50 g	40,0 cal.
		1 colher sopa	15 g	12,0 cal.
Margarita	bebida alcoólica	1 copo próprio	85 ml	85,0 cal.
Marinado	coxa Barbecue Sadia	1 unidade	100 g	133,0 cal.
	coxa /ervas finas Sadia	1 unidade	100 g	121,0 cal.
	coxa Italiano Sadia	1 unidade	100 g	109,0 cal.
	peito Barbecue Sadia	1 unidade	100 g	129,0 cal.
	peito /ervas finas Sadia	1 unidade	100 g	123,0 cal.
	peito Italiano Sadia	1 unidade	100 g	121,0 cal.
	medalhão coxa peru Sadia	1 unidade	100 g	131,0 cal.
	sobrec. Barbecue Sadia	1 unidade	100 g	202,0 cal.
	sobrec. ervas finas Sadia	1 unidade	100 g	116,0 cal.
	sobrec. Italiano Sadia	1 unidade	100 g	192,0 cal.

ALIMENTO	TIPO	QTDE. PRÁTICA	MEDIDA	CALORIA
Marisco	só carne (crua)	1 xícara	100 g	50,0 cal.
		1 colher sopa	25 g	12,5 cal.
	dessecado	1 xícara	100 g	186,0 cal.
		1 colher sopa	25 g	46,5 cal.
	carne e suco	1 xícara	120 g	63,0 cal.
		1 colher sopa	28 g	14,7 cal.
	conserva	1/2 xícara	100 g	98,0 cal.
		1 colher sopa	25 g	24,5 cal.
	suco de	1/2 xícara	125 ml	23,0 cal.
		1 colher sopa	20 ml	3,6 cal.
	à vinagrete	1 pires	100 g	141,0 cal.
		1 colher sopa	25 g	35,2 cal.
Marmelo	natural	1 fatia	240 g	151,2 cal.

ALIMENTO	TIPO	QTDE. PRÁTICA	MEDIDA	CALORIA
Marmelo	geléia	1 colher sopa	50 g	160,9 cal.
Marmelada	industrial	1 fatia	100 g	252,2 cal.
	Etti	1 fatia	100 g	202,0 cal.
Marron-Glacê	caseiro	1 pedaço médio	60 g	141,0 cal.
	industrial	1 pedaço médio	60 g	142,8 cal.
	Cica	1 pedaço médio	60 g	168,0 cal.
	Etti	1 pedaço médio	60 g	148,2 cal.
Marshmallow	em pedaços	5 unidades	100 g	463,9 cal.
	creme	1 colher sopa	15 g	56,0 cal.
Marzipã	bombom	1 unidade	15 g	96,0 cal.
Massas	folheada semipronta Arosa	1 pacote	400 g	1.220,0 cal.
	pastel caseiro	1 porção	15 g	36,10 cal.
	panqueca	1 unidade	40 g	52,0 cal.

ALIMENTO	TIPO	QTDE. PRÁTICA	MEDIDA	CALORIA
Massas	pizza Frescarini	1 unidade	140 g	277,0 cal.
	lasanha Adria	1 porção	100 g	358,0 cal.
	lasanha Frescarini	1 unidade	17,8 g	50,2 cal.
	pastel Frescarini	1 unidade	15 g	45,0 cal.
	torta caseira	1 fatia	50 g	109,0 cal.
	soja Missô	1 colher sopa	18 g	40,0 cal.
	pizza caseira	1 porção	90 g	103,0 cal.
Mate	folha dessecada	1 pires	60 g	123,6 cal.
	gelado	1 copo	250 ml	165,0 cal.
	c/ limão Parmalat	1 caixa	200 ml	77,0 cal.
Maxixe	cru	1 pires	100 g	5,1 cal.
Meia-de-Seda	bebida alcoólica	1 copo	240 ml	140,0 cal.
Mel	abelhas	1 colher sopa	20 g	62,5 cal.

ALIMENTO	TIPO	QTDE. PRÁTICA	MEDIDA	CALORIA
Mel	bananas	1 colher sopa	20 g	46,4 cal.
	maçãs	1 colher sopa	20 g	55,0 cal.
	peras	1 colher sopa	20 g	55,3 cal.
	tâmaras	1 colher sopa	20 g	50,5 cal.
Melaço	pronto	1 colher sopa	15 g	40,8 cal.
Melado	cana	1 colher sopa	20 g	69,4 cal.
Melancia	natural	1 fatia média	140 g	43,4 cal.
	suco	1 copo	300 ml	95,0 cal.
	doce	1 porção	80 g	137,0 cal.
		1 colher sopa	20 g	34,2 cal.
Melão	fruta fresca	1 fatia	140 g	41,8 cal.
	suco de	1 copo	250 ml	85,0 cal.
	-são-caetano	1 fatia	140 g	26,6 cal.

ALIMENTO	TIPO	QTDE. PRÁTICA	MEDIDA	CALORIA
Melão	suco c/ cenoura natural	1 copo	250 ml	100,0 cal.
	doce	1 porção	80 g	272,0 cal.
		1 colher sopa	20 g	68,0 cal.
Merluza	peixe cru	1 filé	100 g	200,0 cal.
	cozida	1 filé	100 g	232,0 cal.
	dessecada	1 filé	100 g	330,0 cal.
Merengue	morango	1 fatia	100 g	228,0 cal.
	nozes	1 fatia	100 g	510,0 cal.
	passas	1 fatia	100 g	421,0 cal.
	chocolate	1 fatia	100 g	378,0 cal.
	limão	1 fatia	100 g	350,0 cal.
	pêssego	1 fatia	100 g	421,0 cal.
Mexilhão	cru	1/2 xícara	100 g	96,0 cal.

ALIMENTO	TIPO	QTDE. PRÁTICA	MEDIDA	CALORIA
Mexilhão	cozido	1/2 xícara	100 g	78,3 cal.
		1 colher sopa	25 g	19,5 cal.
	conserva	1/2 xícara	100 g	113,6 cal.
		1 colher sopa	25 g	28,4 cal.
	ao forno	1/2 xícara	100 g	286,0 cal.
		1 colher sopa	25 g	71,5 cal.
	marinado	1/2 xícara	85 g	150,0 cal.
		1 colher sopa	25 g	44,1 cal.
Migalha	de pão	1 xícara	100 g	390,0 cal.
		1 colher sopa	6 g	23,4 cal.
Mil-Folhas	doce	1 fatia	100 g	117,0 cal.
Milharina	industrializada	1 colher sopa	15 g	53,0 cal.
Milho	amarelo (cru)	1/2 xícara	100 g	363,3 cal.

ALIMENTO	TIPO	QTDE. PRÁTICA	MEDIDA	CALORIA
Milho	branco (cru)	1/2 xícara	100 g	354,5 cal.
	doce (cru)	1/2 xícara	100 g	386,5 cal.
		1 colher sopa	25 g	96,6 cal.
	doce cozido	1/2 xícara	100 g	99,9 cal.
		1 colher sopa	25 g	24,9 cal.
	verde (cru)	1/2 xícara	100 g	325,6 cal.
	duro	1/2 xícara	100 g	364,4 cal.
	mole	1/2 xícara	100 g	376,0 cal.
	seco amarelo	1/2 xícara	100 g	362,7 cal.
	doce evasado	1/2 xícara	100 g	98,0 cal.
		1 colher sopa	25 g	24,5 cal.
	verde conserva (enlatado)	1/2 xícara	100 g	101,0 cal.
		1 colher sopa	20 g	20,2 cal.

ALIMENTO	TIPO	QTDE. PRÁTICA	MEDIDA	CALORIA
Milho	de canjica	1 colher sopa	15 g	55,0 cal.
	lata Cica	1 colher sopa	15 g	17,0 cal.
	lata Swift	1 colher sopa	15 g	15,0 cal.
	pipoca Yoki	1 xícara chá	150 g	233,0 cal.
	verde conserva	1 unidade média	150 g	320,0 cal.
	doce conserva cremoso	1/2 xícara	125 g	103,0 cal.
	bolo	1 fatia média	60 g	203,0 cal.
	amido	1/2 xícara chá	60 g	197,0 cal.
		1 colher sopa	15 g	49,2 cal.
	creme	1 colher sopa	20 g	68,9 cal.
	flocos	1 colher sopa	15 g	54,0 cal.
	Folkies Mococa	1 caixa	35 g	112,0 cal.
	fécula	1 colher sopa	25 g	86,0 cal.

ALIMENTO	TIPO	QTDE. PRÁTICA	MEDIDA	CALORIA
Milho	glicose Karo	1 colher sopa	20 ml	60,0 cal.
	xarope	1 colher sopa	20 g	59,2 cal.
	angu	1 colher sopa	20 g	24,0 cal.
	farinha integral	1 xícara chá	100 g	353,4 cal.
		1/2 xícara chá	50 g	176,7 cal.
		1 colher sopa	12,5 g	44,1 cal.
	farinha branca	1 xícara chá	100 g	365,0 cal.
		1/2 xícara chá	50 g	182,5 cal.
		1 colher sopa	12,5 g	45,6 cal.
	seleta c/milho Etti	1 xícara chá	100 g	81,8 cal.
	suco milho verde natural	1 copo	250 ml	282,5 cal.
Mingau	aveia	1 colher sopa	15 g	25,5 cal.
	arroz Mococa	1 colher sopa	15 g	38,0 cal.

ALIMENTO	TIPO	QTDE. PRÁTICA	MEDIDA	CALORIA
Milho	milho Mococa	1 colher sopa	15 g	38,0 cal.
	Cremogema	1 colher sopa	15 g	54,0 cal.
	Mucilon Arroz	1 colher sopa	15 g	57,0 cal.
	Mucilon Milho	1 colher sopa	15 g	56,0 cal.
Missô	massa de soja	1 colher sopa	18 g	40,0 cal.
Mistura	p/bolo Charlotte Otker	1 fatia	100 g	400,0 cal.
	p/bolo de baunilha Royal	1 fatia	60 g	205,0 cal.
	p/bolo de baunilha Sol	1 fatia	100 g	335,0 cal.
	p/bolo de choc. Otker	1 fatia	100 g	407,0 cal.
	p/bolo de choc.Royal	1 fatia	60 g	202,0 cal.
	p/bolo de chocolate Sol	1 fatia	60 g	335,0 cal.
	p/bolo de coco Otker	1 fatia	100 g	405,0 cal.
	p/bolo coco queimado Sol	1 fatia	100 g	354,0 cal.

ALIMENTO	TIPO	QTDE. PRÁTICA	MEDIDA	CALORIA
Mistura	p/bolo de festa Sol	1 fatia	100 g	335,0 cal.
	p/bolo de laranja Otker	1 fatia	100 g	404,0 cal.
	p/bolo de laranja Royal	1 fatia	60 g	205,0 cal.
	p/bolo de milho Otker	1 fatia	100 g	382,0 cal.
	p/bolo de milho Royal	1 fatia	60 g	205,0 cal.
	p/bolo formigueiro Sol	1 fatia	100 g	335,0 cal.
	p/bolo manteiga Otker	1 fatia	100 g	294,0 cal.
	p/bolo mármore Otker	1 fatia	100 g	409,0 cal.
	p/crespinhos coco Otker	1 fatia	100 g	392,0 cal.
	p/doces e salgados Sol	1 fatia	100 g	449,0 cal.
	p/maria-mole Royal	1 unidade	100 g	199,0 cal.
	p/maria-mole Otker (pó)	1 porção	60 g	82,0 cal.
	p/maria-mole /coco Otker	1 porção	60 g	81,0 cal.

ALIMENTO	TIPO	QTDE. PRÁTICA	MEDIDA	CALORIA
Mistura	p/pão-de-mel Sol	1 porção	20 g	69,0 cal.
	p/pão-de-minuto Sol	1 unidade	25 g	91,7 cal.
	p/sonho Otker	1 unidade	25 g	106,0 cal.
	p/torta de frutas Otker	1 fatia	100 g	263,0 cal.
	p/torta salgada Sol	1 caixa	300 g	410,0 cal.
Miolo	alcatra Sadia	1 filé	100 g	133,0 cal.
	boi	1 pires	100 g	119,0 cal.
	coxão mole Sadia	1 filé	100 g	120,0 cal.
	entrecorte Sadia	1 pires	100 g	121,0 cal.
Miúdos	boi	1 pires	100 g	67,7 cal.
	galinha	1 pires	100 g	160,0 cal.
Mocotó	cozido	1 porção	100 g	221,1 cal.
	geléia de	1 colher sopa	50 g	42,0 cal.

ALIMENTO	TIPO	QTDE. PRÁTICA	MEDIDA	CALORIA
Molho Caseiro	agridoce	1 colher sopa	20 g	31,0 cal.
	bechamel	1 colher sopa	20 g	16,0 cal.
	à bolonhesa	1 colher sopa	20 g	36,0 cal.
	bordelaise	1 colher sopa	10 g	18,0 cal.
	branco ralo	1 xícara	200 g	224,0 cal.
		1 colher sopa	20 g	22,4 cal.
	branco médio	1 xícara	220 g	381,0 cal.
		1 colher sopa	25 g	43,2 cal.
	branco grosso	1 xícara	240 g	399,3 cal.
		1 colher sopa	30 g	49,9 cal.
	carne	1 colher sopa	7 g	21,0 cal.
	champignon	1 colher sopa	12 g	12,0 cal.
	churrasco	1 colher sopa	15 g	13,8 cal.

ALIMENTO	TIPO	QTDE. PRÁTICA	MEDIDA	CALORIA
Molho Caseiro	ervas	1 colher sopa	20 g	89,0 cal.
	gergelim	1 colher sopa	12 g	72,0 cal.
	iogurte	1 colher sopa	20 g	28,0 cal.
	inglês	1 colher sopa	10 g	9,1 cal.
	limão c/ iogurte desnat.	1 colher sopa	15 g	20,0 cal.
	madeira	1 colher sopa	20 g	13,0 cal.
	holandês	1 colher sopa	12,5 g	45,0 cal.
	hortelã	1 colher sopa	8 g	16,0 cal.
	pimenta malagueta	1 colher sopa	20 g	4,0 cal.
	queijo	1 colher sopa	18 g	32,5 cal.
	maionese	1 colher sopa	20 g	201,1 cal.
	mostarda	1 colher sopa	20 g	28,0 cal.
	roquefort	1 colher sopa	20 g	129,0 cal.

ALIMENTO	TIPO	QTDE. PRÁTICA	MEDIDA	CALORIA
Molho Caseiro	rosé	1 colher sopa	20 g	180,0 cal.
	roti	1 colher sopa	20 g	164,0 cal.
	soja	1 colher sopa	15 g	10,0 cal.
	shoyu	1 colher sopa	15 g	27,0 cal.
	tártaro	1 colher sopa	20 g	85,0 cal.
	vinagrete	1 colher sopa	15 g	35,0 cal.
	tomate	1 colher sopa	20 g	8,0 cal.
Molho Industr.	A La Crème Maggi	1 colher sopa	20 g	35,8 cal.
	agridoce Uncle Ben's	1 colher sopa	20 g	20,2 cal.
	branco Alfredo Maggi	1 colher sopa	20 g	37,6 cal.
	branco Parmalat	1 colher sopa	20 g	28,4 cal.
	branco Etti	1 colher sopa	20 g	22,0 cal.
	branco Mococa	1 colher sopa	20 g	29,4 cal.

ALIMENTO	TIPO	QTDE. PRÁTICA	MEDIDA	CALORIA
Molho Industr.	barbecue Mc Donald's	1 colher sopa	32 g	50,0 cal.
	branco champignon Maggi	1 colher sopa	20 g	30,0 cal.
	catchup Etti	1 colher sopa	15 g	16,8 cal.
	catchup Arisco	1 colher sopa	15 g	19,5 cal.
	catchup Cocinero	1 colher sopa	15 g	23,0 cal.
	catchup tradic. Cica	1 colher sopa	15 g	21,0 cal.
	béanaise Maggi	1 colher sopa	20 g	46,6 cal.
	bechamel Maggi	1 colher sopa	20 g	29,0 cal.
	boscaiola Maggi	1 colher sopa	20 g	11,8 cal.
	curry Maggi	1 colher sopa	20 g	13,2 cal.
	Gourmet atum	1 colher sopa	20 g	103,0 cal.
	Gourmet azeitona	1 colher sopa	20 g	107,0 cal.
	Gourmet rosé	1 colher sopa	20 g	92,0 cal.

ALIMENTO	TIPO	QTDE. PRÁTICA	MEDIDA	CALORIA
Molho Industr.	Gourmet tártaro	1 colher sopa	20 g	101,0 cal.
	ervas finas Maggi	1 colher sopa	20 g	10,2 cal.
	Gratin Maggi	1 colher sopa	20 g	33,8 cal.
	italiano Uncle Ben's	1 colher sopa	20 g	9,2 cal.
	maionese Cocinero	1 colher sopa	20 g	149,0 cal.
	maionese Gourmet culin.	1 colher sopa	20 g	129,0 cal.
	maionese Gourmet trad.	1 colher sopa	20 g	129,0 cal.
	maionese Hellmann's	1 colher sopa	20 g	144,0 cal.
	maion. Hellmann's limão	1 colher sopa	20 g	144,0 cal.
	maion. Hellmann's light	1 colher sopa	20 g	66,0 cal.
	maionese Maionegg's	1 colher sopa	20 g	143,0 cal.
	maionese light Mileto	1 colher sopa	20 g	66,6 cal.
	Matricciana Maggi	1 colher sopa	20 g	16,0 cal.

ALIMENTO	TIPO	QTDE. PRÁTICA	MEDIDA	CALORIA
Molho Industr.	Mexicano Uncle Ben's	1 colher sopa	20 g	7,2 cal.
	Pescatora Maggi	1 colher sopa	20 g	14,0 cal.
	p/salada French Hellmann's	1 colher sopa	15 g	80,0 cal.
	p/salada Kraft French	1 colher sopa	15 g	60,0 cal.
	p/sal. Kraft House Itália	1 colher sopa	15 g	60,0 cal.
	p/salada Kraft Ranch	1 colher sopa	15 g	85,0 cal.
	p/sal. italiana Hellmann's	1 colher sopa	15 g	53,0 cal.
	p/sal. Ranch Hellmann's	1 colher sopa	15 g	70,0 cal.
	strogonoff Etti	1 caixa	250 g	400 cal.
	madeira Uncle Ben's	1 colher sopa	20 g	10,0 cal.
	mostarda Cocinero	1 colher sopa	10 g	8,0 cal.
	mostarda Jimmi	1 colher sopa	10 g	11,0 cal.
	mostarda Arisco	1 colher sopa	10 g	6,0 cal.

ALIMENTO	TIPO	QTDE. PRÁTICA	MEDIDA	CALORIA
Molho Industr.	mostarda Cica	1 colher sopa	10 g	7,4 cal.
	mostarda Etti	1 colher sopa	10 g	7,5 cal.
	salsadoro pedaços Etti	1 colher sopa	15 g	5,0 cal.
	salsaretti manjericão Etti	1 colher sopa	15 g	6,0 cal.
	shoyo Kinoko	1 colher sopa	15 g	9,0 cal.
	shoyo Sakura	1 colher sopa	15 g	8,0 cal.
	Spaguetti Cica	1 colher sopa	20 g	15,0 cal.
	Thousand Island (b.caloria)	1 colher sopa	15 g	24,0 cal.
	Thousand Island (convenc.)	1 colher sopa	15 g	59,0 cal.
	polpa de tomate Pomodoro	1 colher sopa	15 g	5,0 cal.
	purê de tomate Maggi	1 colher sopa	20 g	6,0 cal.
	tomate à bolonhesa Cica	1 colher sopa	20 g	23,0 cal.
	tomate à bolonhesa Nestlé	1 colher sopa	20 g	17,0 cal.

ALIMENTO	TIPO	QTDE. PRÁTICA	MEDIDA	CALORIA
Molho Industr.	tomate ao sugo Cica	1 colher sopa	20 g	18,0 cal.
	tomate ao sugo Maggi	1 colher sopa	15 g	12,0 cal.
	tomate à bolonhesa Maggi	1 colher sopa	20 g	19,0 cal.
	tomate calabresa Maggi	1 colher sopa	20 g	22,0 cal.
	tomate Peperone Maggi	1 colher sopa	15 g	10,0 cal.
	tomate pizza Cica	1 colher sopa	20 g	18,0 cal.
	tomate pizza Maggi	1 colher sopa	15 g	12,0 cal.
	tomate pizza Nestlé	1 colher sopa	20 g	15,0 cal.
	tomate Pomarola tradic.	1 colher sopa	15 g	8,0 cal.
	tomate Pomarola encorp.	1 colher sopa	15 g	10,9 cal.
	tomate refogado Maggi	1 colher sopa	15 g	11,0 cal.
	tomate refogado Nestlé	1 colher sopa	15 g	12,0 cal.
	tom. refog. tradic. Maggi	1 colher sopa	15 g	10,0 cal.

ALIMENTO	TIPO	QTDE. PRÁTICA	MEDIDA	CALORIA
Molho Industr.	tom. refog. tradic. Nestlé	1 colher sopa	15 g	12,0 cal.
	tom. Tarantella peneirado	1 colher sopa	15 g	10,6 cal.
	Tomato Arisco	1 colher sopa	15 g	10,0 cal.
	vinagrete De Dijon light	1 colher sopa	15 g	37,5 cal.
Moqueca	camarão	1 concha	200 g	393,0 cal.
		1 colher sopa	28 g	55,0 cal.
	peixe	1 concha	200 g	325,0 cal.
		1 colher sopa	28 g	45,5 cal.
	polvo	1 concha	200 g	410,0 cal.
		1 colher sopa	28 g	57,4 cal.
Moranga	cozida	1 colher sopa	33,3 g	6,2 cal.
		1/2 xícara chá	100 g	18,8 cal.
Morango	fresco	6 unidades	50 g	19,5 cal.

ALIMENTO	TIPO	QTDE. PRÁTICA	MEDIDA	CALORIA
Morango	envasado em água	6 unidades	50 g	23,7 cal.
	envasado em xarope . . .	6 unidades	50 g	47,9 cal.
	c/chantili	1 taça	100 g	106,0 cal.
	geléia	1 colher sopa cheia	50 g	129,1 cal.
	geléia Doce Menor	1 colher sopa cheia	50 g	23,3 cal.
	geléia Superbon	1 colher sopa cheia	50 g	130,0 cal.
	geléia T. da Mônica Cica	1 colher sopa cheia	50 g	130,0 cal.
	suco	1 copo	250 ml	49,2 cal.
	suco Maguary pronto . .	1 copo	250 ml	117,0 cal.
	torta caseira	1 fatia	115 g	228,0 cal.
	merengue	1 fatia	100 g	228,0 cal.
Morcela	industrializada	1 fatia	15 g	38,7 cal.
Moréia	(peixe)	1 porção	100 g	126,0 cal.

ALIMENTO	TIPO	QTDE. PRÁTICA	MEDIDA	CALORIA
Mortadela	comum	1 fatia fina	15 g	41,5 cal.
	Betinha Serra	1 fatia fina	15 g	50,0 cal.
	Bexiga Sadia	1 fatia fina	15 g	51,0 cal.
	Bologna Seara	1 fatia fina	15 g	51,0 cal.
	de chester Perdigão	1 fatia fina	15 g	45,0 cal.
	Fiori Sadia	1 fatia fina	15 g	47,0 cal.
	light da Mônica Perdigão	1 fatia fina	15 g	45,0 cal.
	Reginelle Sadia	1 fatia fina	15 g	43,0 cal.
	Sadilar Sadia	1 fatia fina	15 g	44,0 cal.
	Chapecó Familiar	1 fatia fina	15 g	49,3 cal.
	Sapore Chapecó	1 fatia fina	15 g	43,3 cal.
	chinesa (crua)	1 pires	50 g	14,3 cal.
	crespa (crua)	1 pires	50 g	14,0 cal.

ALIMENTO	TIPO	QTDE. PRÁTICA	MEDIDA	CALORIA
Mortadela	crespa (cozida)	1 pires	50 g	13,9 cal.
	condimento amarelo	1 colher sopa	10 g	7,8 cal.
	Cocinero	1 colher sopa	10 g	8,0 cal.
	Jimmi	1 colher sopa	10 g	11,0 cal.
	Arisco	1 colher sopa	10 g	6,0 cal.
	Cica	1 colher sopa	10 g	7,4 cal.
	Etti	1 colher sopa	10 g	7,5 cal.
Mousse	abacaxi	1 taça peq.	70 g	130,0 cal.
		1 colher sopa	20 g	37,1 cal.
	agrião	1 taça peq.	70 g	278,0 cal.
		1 colher sopa	20 g	79,4 cal.
	ameixa	1 taça peq.	70 g	218,0 cal.
		1 colher sopa	20 g	62,2 cal.

ALIMENTO	TIPO	QTDE. PRÁTICA	MEDIDA	CALORIA
Mousse	atum	1 pires	150 g	280,0 cal.
		1 fatia	70 g	130,6 cal.
	café	1 taça peq.	70 g	120,0 cal.
		1 colher sopa	20 g	34,2 cal.
	chocolate	1 taça peq.	70 g	312,0 cal.
		1 colher sopa	20 g	89,1 cal.
	chocolate Otker (pó)	1 taça peq.	100 g	183,0 cal.
		1 colher sopa	20 g	36,6 cal.
	damasco	1 taça peq.	70 g	205,0 cal.
		1 colher sopa	20 g	58,7 cal.
	goiaba	1 taça peq.	70 g	60,0 cal.
		1 colher sopa	20 g	17,1 cal.
	gorgonzola	1 taça peq.	70 g	181,0 cal.

ALIMENTO	TIPO	QTDE. PRÁTICA	MEDIDA	CALORIA
Mousse		1 colher sopa	20 g	51,7 cal.
	iogurte	1 taça peq.	70 g	251,0 cal.
		1 colher sopa	20 g	71,7 cal.
	limão	1 taça peq.	70 g	270,0 cal.
		1 colher sopa	20 g	77,1 cal.
	manga	1 taça peq.	70 g	124,0 cal.
		1 colher sopa	20 g	35,4 cal.
	maracujá	1 taça peq.	70 g	255,0 cal.
		1 colher sopa	20 g	72,8 cal.
	menta	1 taça peq.	70 g	313,0 cal.
		1 colher sopa	20 g	89,4 cal.
	morango	1 taça peq.	70 g	273,0 cal.
		1 colher sopa	20 g	78,0 cal.

ALIMENTO	TIPO	QTDE. PRÁTICA	MEDIDA	CALORIA
Mousse	pepino	1 pires	150 g	163,0 cal.
		1 fatia	75 g	81,5 cal.
	pêssego	1 taça peq.	70 g	170,0 cal.
		1 colher sopa	20 g	48,5 cal.
	pêra	1 taça peq.	70 g	205,0 cal.
		1 colher sopa	20 g	58,7 cal.
	salsão	1 pires	100 g	198,5 cal.
		1 fatia	50 g	99,2 cal.
	Vigor chocolate	1 embalagem	250 g	424,7 cal.
		1 colher sopa	20 g	33,9 cal.
	Vigor morango	1 embalagem	250 g	168,5 cal.
		1 colher sopa	20 g	13,4 cal.
Músculo	boi (cozido)	1 porção	80 g	171,1 cal.

ALIMENTO	TIPO	QTDE. PRÁTICA	MEDIDA	CALORIA
Músculo	assado	2 pedaços	100 g	185,0 cal.
Muffin	doce	1 unidade	50 g	160,0 cal.
Mungunzá	pronto	1 prato	300 ml	300,0 cal.

LETRA N

ALIMENTO	TIPO	QTDE. PRÁTICA	MEDIDA	CALORIA
Nabo	cru	1 pires	100 g	35,0 cal.
	cozido	1/2 xícara	70 g	15,4 cal.
	folhas	1 pires	50 g	16,0 cal.
	folhas e talos cozidos	1 xícara	145 g	30,0 cal.
	folhas e talos crus	1 xícara	100 g	28,0 cal.
	Daikon	1/2 xícara	50 g	9,0 cal.
Namorado	peixe cozido	1 filé	100 g	122,0 cal.
	ensopado	1 filé	100 g	128,0 cal.
	à milanesa	1 filé	100 g	190,0 cal.
	assado no sal grosso	1 porção	150 g	248,0 cal.
	com gengibre	1 filé	100 g	198,0 cal.
Nata	com 100% de gordura	1 colher sopa	20 g	23,9 cal.
	com 20% de gordura	1 colher sopa	20 g	41,1 cal.

ALIMENTO	TIPO	QTDE. PRÁTICA	MEDIDA	CALORIA
Nectarina	fresca	1 unidade	100 g	64,0 cal.
Nêspera	fresca	1 unidade	150 g	66,0 cal.
Nhoque	de batatas (caseiro)	1 pires	100 g	174,2 cal.
	de batatas com molho	1 pires	100 g	232,8 cal.
	de espinafre gratinado	1 porção	100 g	400,0 cal.
	de peixe	1 porção	100 g	456,0 cal.
	Gnocchelli Findus	1 pires	100 g	168,0 cal.
	Gnochi Com Pollo Findus	1 pires	100 g	216,0 cal.
Nuggets	Chicken Mcnuggets	1 unidade	50 g	63,0 cal.
	c/bacon Dagranja	1 unidade	50 g	48,0 cal.
	c/queijo Dagranja	1 unidade	50 g	48,0 cal.
	tradicional Dagranja	1 unidade	50 g	43,0 cal.
	Sadia	1 unidade	50 g	276,0 cal.

LETRA O

ALIMENTO	TIPO	QTDE. PRÁTICA	MEDIDA	CALORIA
Óleo	açafrão	1 xícara chá	200 ml	1.768,1 cal.
		1 colher sopa	14 ml	123,7 cal.
	algodão	1 xícara chá	200 ml	1.800,0 cal.
		1 colher sopa	14 ml	126,0 cal.
	amendoim	1 xícara chá	200 ml	1.800,0 cal.
		1 colher sopa	14 ml	126,0 cal.
	Bacaba	1 xícara chá	200 ml	1.800,0 cal.
		1 colher sopa	14 ml	126,0 cal.
	Becel	1 xícara chá	200 ml	1.800,0 cal.
		1 colher sopa	14 ml	126,0 cal.
	canola	1 xícara chá	200 ml	1.800,0 cal.
		1 colher sopa	14 ml	126,0 cal.
	Cocinero	1 xícara chá	200 ml	1.800,0 cal.

ALIMENTO	TIPO	QTDE. PRÁTICA	MEDIDA	CALORIA
Óleo		1 colher sopa	14 ml	126,0 cal.
	coco	1 xícara chá	200 ml	2.700,0 cal.
		1 colher sopa	14 ml	189,0 cal.
	coco babaçu	1 xícara chá	200 ml	1.782,0 cal.
		1 colher sopa	14 ml	124,7 cal.
	caroço de algodão	1 xícara chá	200 ml	1.780,0 cal.
		1 colher sopa	14 ml	124,6 cal.
	dendê	1 xícara chá	200 ml	1764,0 cal.
		1 colher sopa	14 ml	123,4 cal.
	fígado de bacalhau	1 xícara chá	200 ml	1.746,0 cal.
		1 colher sopa	14 ml	122,2 cal.
	gergelim	1 xícara chá	200 ml	1800,0 cal.
		1 colher sopa	14 ml	126,0 cal.

ALIMENTO	TIPO	QTDE. PRÁTICA	MEDIDA	CALORIA
Óleo	germe de trigo	1 xícara chá	200 ml	1780,0 cal.
		1 colher sopa	14 ml	124,6 cal.
	girassol	1 xícara chá	200 ml	1.800,0 cal.
		1 colher sopa	14 ml	126,0 cal.
	margarina	1 xícara chá	200 ml	1.494,0 cal.
		1 colher sopa	14 ml	104,5 cal.
	milho refinado	1 xícara chá	200 ml	1800,0 cal.
		1 colher sopa	14 ml	126,0 cal.
	milho Mazola	1xícara chá	200 ml	1.800,0 cal.
		1 colher sopa	14 ml	126,4 cal.
	oliva	1 xícara chá	200 ml	1.800,0 cal.
		1 colher sopa	14 ml	126,0 cal.
	peixe	1 xícara chá	200 ml	1800,0 cal.

ALIMENTO	TIPO	QTDE. PRÁTICA	MEDIDA	CALORIA
Óleo		1 colher sopa	14 ml	126,0 cal.
	pequi	1 xícara chá	200 ml	1800,0 cal.
		1 colher chá	14 ml	126,0 cal.
	soja	1 xícara chá	200 ml	1800,0 cal.
		1 colher sopa	14 ml	126,0 cal.
	soja Lisa	1 xícara chá	200 ml	1620,0 cal.
		1 colher sopa	14 ml	113,4 cal.
Olho-de-Sogra	docinho	1 unidade	20 g	60,0 cal.
Omelete	frita	c/1 ovo grande	80 g	83,2 cal.
	frita com queijo	c/1 ovo grande	100 g	266,0 cal.
Orégão	seco	1 colher sopa	2,0 g	0,3 cal.
Ostras	cruas	4 unidades	100 g	81,0 cal.
	conserva	1/2 xícara chá	50 g	36,0 cal.

ALIMENTO	TIPO	QTDE. PRÁTICA	MEDIDA	CALORIA
Ostras		1 colher sopa	20 g	14,4 cal.
	cozidas, fritas c/ovo, leite	1/2 xícara	50 g	119,4 cal.
Ova	peixe (crua)	1/2 xícara chá	50 g	61,4 cal.
	conserva	1/2 xícara chá	50 g	191,1 cal.
	cozida	1/2 xícara chá	50 g	63,0 cal.
Ovelha	lombo (cru)	1 pedaço médio	100 g	333,0 cal.
	pernil (cru)	1 pedaço médio	100 g	339,8 cal.
Ovo	avestruz (cru)	1 unidade	100 g	39,2 cal.
	codorna	1 unidade	20 g	32,2 cal.
	galinha	1 unidade grande	50 g	75,4 cal.
	galinha (desidratado)	1 unidade grande	50 g	246,2 cal.
	galinha (frito)	1 unidade grande	50 g	108,0 cal.
	galinha (morno pochê)	1 unidade grande	50 g	78,0 cal.

ALIMENTO	TIPO	QTDE. PRÁTICA	MEDIDA	CALORIA
Ovo	galinha (cozido)	1 unidade grande	50 g	78,7 cal.
	conserva	1 unidade grande	50 g	80,5 cal.
	frito em margarina	1 unidade grande	50 g	90,0 cal.
	galinha (clara crua)	1 unidade grande	30 g	12,9 cal.
	galinha (clara cozida)	1 unidade grande	30 g	16,2 cal.
	galinha (clara frita)	1 unidade grande	30 g	22,0 cal.
	galinha (gema crua)	1 unidade grande	20 g	70,4 cal.
	galinha (gema cozida)	1 unidade grande	20 g	72,5 cal.
	galinha (gema frita)	1 unidade grande	20 g	113,3 cal.
	galinha (mexido)	1 unidade grande	50 g	120,0 cal.
	galinha (mexido c/queijo)	1 unidade grande	70 g	180,0 cal.
	ovos nevados	2 colheres sopa	100 g	245,0 cal.
	pata (cru)	1 unidade	70 g	128,8 cal.

ALIMENTO	TIPO	QTDE. PRÁTICA	MEDIDA	CALORIA
Ovo	perua (cru)	1 unidade	55 g	90,7 cal.
Ovo-de-Páscoa	Alpino Nestlé	1 pedaço médio	100 g	543,0 cal.
	chocolate c/leite	1 pedaço médio	100 g	541,0 cal.
	Chokito Nestlé	1 pedaço médio	100 g	532,0 cal.
	crocante Visconti	nº 16	180 g	1069,0 cal.
	crocante Visconti	nº 18	400 g	1532,0 cal.
	Diet Visconti	1 unidade	280 g	710,0 cal.
	Galak Nestlé	1 pedaço médio	100 g	542,0 cal.
	Prestígio Nestlé	1 pedaço médio	100 g	541,0 cal.
	Sedução Nestlé	1 pedaço médio	100 g	541,0 cal.
	Turma da Mônica	1 pedaço médio	100 g	541,0 cal.

LETRA P

ALIMENTO	TIPO	QTDE. PRÁTICA	MEDIDA	CALORIA
Paçoca	pronta	1 pires	50 gr.	405,0 cal.
		1 colher sopa	20 g	162,0 cal.
Pacu	peixe cru	1 filé	100 g	102,6 cal.
Paio	industrializado	1 unidade	100 g	330,7 cal.
	Sadia	1 unidade	100 g	239,0 cal.
	Seara	1 unidade	100 g	311,0 cal.
Palmito	cru	1 pires	100 g	26,0 cal.
	conserva	1 pires	100 g	18,0 cal.
		1 vidro	300 g	70,0 cal.
		1 unidade	37 g	10,0 cal.
Paella	pronta	1 porção	200 g	850,0 cal.
		1 colher sopa	25 g	106,2 cal.
Pamonha	pronta	1 unidade	60 g	152,4 cal.

ALIMENTO	TIPO	QTDE. PRÁTICA	MEDIDA	CALORIA
Pamonha		1 colher sopa	25 g	63,5 cal.
Panetone	caseiro	1 fatia	65 g	186,8 cal.
	Granduque Visconti	1 fatia	65 g	181,3 cal.
	tradicional Visconti	1 fatia	65 g	186,4 cal.
Pão	abóbora	1 fatia	50 g	131,3 cal.
	alemão	1 fatia	50 g	131,5 cal.
	de arroz	1 fatia	50 g	177,4 cal.
	de aipim	1 fatia	50 g	149,0 cal.
	baguete	1 fatia	35 g	70,0 cal.
	baguete com gergelim	1 fatia	35 g	82,0 cal.
	de batata-doce	1 fatia	50 g	156,8 cal.
	de batata inglesa	1 fatia	50 g	138,5 cal.
	de batata Frescarini	1 unidade	30 g	86,7 cal.

ALIMENTO	TIPO	QTDE. PRÁTICA	MEDIDA	CALORIA
Pão	brioche	1 médio	65 g	210,0 cal.
	broa de milho	1 média	100 g	257,0 cal.
	broinha de fubá	1 média	50 g	60,0 cal.
	cará	1 fatia	35 g	95,5 cal.
	centeio claro	1 fatia	35 g	86,5 cal.
	centeio escuro	1 fatia	35 g	81,2 cal.
	centeio integral	1 fatia	35 g	81,2 cal.
	cevada	1 fatia média	35 g	105,7 cal.
	doce	1 fatia média	35 g	95,9 cal.
	doce c/frutas cristalizadas	1 unidade média	80 g	220,0 cal.
	ciabata	1 fatia média	80 g	150,0 cal.
	croissant	1 médio	60 g	200,0 cal.
	francês	1 unidade	50 g	134,5 cal.

ALIMENTO	TIPO	QTDE. PRÁTICA	MEDIDA	CALORIA
Pão	fubá	1 fatia	40 g	137,6 cal.
	glúten	1 fatia média	35 g	88,9 cal.
	p/ hambúrguer	1 unidade	60 g	180,0 cal.
	p/ hot dog	1 unidade	60 g	168,0 cal.
	italiano	1 fatia média	50 g	128,4 cal.
	de leite	1 unidade média	50 g	152,5 cal.
	milho caseiro	1 fatia média	35 g	98,3 cal.
	milho industrializado	1 fatia média	35 g	99,7 cal.
	mel c/cobertura chocol.	1 unidade	20 g	91,0 cal.
	queijo Findus	1 unidade	13 g	34,0 cal.
	queijo Forno de Minas	1 unidade	20 g	68,0 cal.
	queijo (grande)	1 unidade	95 g	173,0 cal.
	queijo Otker	1 unidade	42 g	77,0 cal.

ALIMENTO	TIPO	QTDE. PRÁTICA	MEDIDA	CALORIA
Pão	queijo Yoki	1 unidade	31 g	107,1 cal.
	sírio	1 unidade	40 g	83,0 cal.
	passas	1 fatia	40 g	108,8 cal.
	Pullmann	1 fatia	22,7 g	74,0 cal.
	torresmo	1 fatia	40 g	219,7 cal.
	soja	1 fatia	25 g	70,7 cal.
Panqueca	só massa	1 unidade	40 g	52,0 cal.
	queijo Camembert	1 unidade	100 g	220,0 cal.
	camarão	1 unidade	100 g	293,0 cal.
	frango	1 unidade	100 g	267,0 cal.
	repolho	1 unidade	100 g	234,0 cal.
	carne	1 unidade	100 g	254,0 cal.
	americana (só massa)	1 unidade	60 g	93,0 cal.

ALIMENTO	TIPO	QTDE. PRÁTICA	MEDIDA	CALORIA
Panqueca	maçã	1 unidade	100 g	290,0 cal.
	morango	1 unidade	100 g	231,0 cal.
Páprica	tempero	1 colher chá	6 g	20,0 cal.
Passas	ameixa	1 xícara chá	150 g	438,0 cal.
		1 colher sopa	25 g	73,0 cal.
	maçã	1 xícara chá	150 g	439,5 cal.
		1 colher sopa	25 g	73,2 cal.
	c/semente	1 xícara chá	150 g	447,6 cal.
		1 colher sopa	25 g	74,6 cal.
Pasta	Barilla s/ovos	1 pacote	100 g	362,0 cal.
Pastel	só a massa	1 unidade	20 g	102,4 cal.
	de carne	1 unidade	50 g	200,0 cal.
	de carne de porco	1 unidade	50 g	237,0 cal.

ALIMENTO	TIPO	QTDE. PRÁTICA	MEDIDA	CALORIA
Pastel	de camarão	1 unidade	50 g	231,0 cal.
	de frango	1 unidade	50 g	186,0 cal.
	de escarola	1 unidade	50 g	170,0 cal.
	de queijo	1 unidade	50 g	190,0 cal.
	Frescarini 3 queijos	1 unidade	23,3 g	79,6 cal.
	Frescarini queijo	1 unidade	6,9 g	21,5 cal.
	de Santa Clara (doce) . .	1 unidade	70 g	130,0 cal.
Papo-de-Anjo	docinho	1 unidade	30 g	150,0 cal.
Pata				
Caranguejo	cozidas	8 patas	250 g	203,0 cal.
Patê	bacon Sadia	1 colher chá	10 g	25,0 cal.
	bacon Swift	1 colher chá	10 g	17,0 cal.
	berinjela	1 colher chá	10 g	13,0 cal.

ALIMENTO	TIPO	QTDE. PRÁTICA	MEDIDA	CALORIA
Patê	carne Swift	1 colher chá	10 g	16,0 cal.
	fígado Swift	1 colher chá	10 g	16,0 cal.
	galinha Swift	1 colher chá	10 g	21,0 cal.
	presunto c/azeitona Swift	1 colher chá	10 g	18,0 cal.
	presunto c/champign. Swift	1 colher chá	10 g	14,0 cal.
	presunto c/picles Swift . .	1 colher chá	10 g	18,0 cal.
	presunto Swift	1 colher chá	10 g	17,0 cal.
	trutas	1 colher chá	10 g	22,0 cal.
	fígado Sadia	1 colher chá	10 g	19,0 cal.
	galinha Sadia	1 colher chá	10 g	26,2 cal.
	presunto Sadia (bisnaga) .	1 colher chá	10 g	23,0 cal.
	presunto (pote) Sadia . . .	1 colher chá	10 g	28,0 cal.
	Sardela	1 colher chá	10 g	30,0 cal.

ALIMENTO	TIPO	QTDE. PRÁTICA	MEDIDA	CALORIA
Pato	cru	1 fatia	100 g	159,0 cal.
	assado c/pele	1 fatia	80 g	249,1 cal.
	assado s/pele	1 fatia	80 g	152,8 cal.
	c/ervas	1 fatia	80 g	379,0 cal.
	ao vinho	1 fatia	80 g	119,5 cal.
	selvagem (cru)	1 fatia	100 g	118,5 cal.
Pavê	geral	1 porção	80 g	208,0 cal.
		1 colher sopa	25 g	65,0 cal.
	amêndoa e ameixa	1 porção	80 g	280,6 cal.
		1 colher sopa	25 g	87,7 cal.
	amendoim	1 porção	80 g	348,8 cal.
		1 colher sopa	25 g	109,0 cal.
	chocolate	1 porção	80 g	226,6 cal.

ALIMENTO	TIPO	QTDE. PRÁTICA	MEDIDA	CALORIA
Pavê		1 colher sopa	25 g	70,8 cal.
	biscoito inglês	1 porção	80 g	265,0 cal.
		1 colher sopa	25 g	83,0 cal.
	fruta	1 porção	80 g	261,4 cal.
		1 colher sopa	25 g	81,7 cal.
Pecan	fresca	1 média	80 g	600,0 cal.
Peito	frango assado s/pele . . .	1 filé	100 g	98,0 cal.
	frango cozido	1 filé	100 g	109,0 cal.
	galinha (frito)	1 filé	100 g	109,7 cal.
	carneiro (assado)	1 filé	100 g	174,1 cal.
	peru Califórnia Sadia . . .	1 filé	50 g	46,3 cal.
Peixe Acará	cru	1 pedaço médio	100 g	101,0 cal.
	salgado	1 pedaço médio	100 g	334,0 cal.

ALIMENTO	TIPO	QTDE. PRÁTICA	MEDIDA	CALORIA
Peixe Acari	cru	1 pedaço médio	100 g	98,0 cal.
	salgado	1 pedaço médio	100 g	203,0 cal.
Peixe Agulha	cru	5 unidades	100 g	28,0 cal.
	conserva	1 colher sopa	25 g	34,3 cal.
	frito	5 unidades	100 g	94,0 cal.
Peixe Anchova	cru	1 filé	100 g	106,2 cal.
	cozido	1 filé	100 g	117,7 cal.
	assada ou grelhada	1 filé	100 g	160,0 cal.
	à milanesa	1 filé	100 g	210,0 cal.
	em pasta	1 colher sopa	25 g	50,5 cal.
P.Anchovinha	crua	1 filé	100 g	105,3 cal.
Peixe Arenque	cru	2 filés	100 g	230,0 cal.
	ao escabeche	1 colher sopa	31 g	69,1 cal.

ALIMENTO	TIPO	QTDE. PRÁTICA	MEDIDA	CALORIA
Peixe Arenque	curtido	2 filés	100 g	218,0 cal.
	defumado	2 filés	100 g	290,0 cal.
	assado ou grelhado	2 filés	100 g	200,0 cal.
	em conserva	1 colher sopa	25 g	50,0 cal.
	ao molho de tomate	2 filés	100 g	173,1 cal.
Peixe Arraia	cru	1 posta	100 g	90,0 cal.
Peixe Atum	cru	1 posta	100 g	146,0 cal.
	grelh. c/margar. e tomate	1 posta	100 g	199,0 cal.
	em conserva (óleo)	1 colher sopa	25 g	65,6 cal.
	ralado Coqueiro	1 lata	170 g	316,2 cal.
Peixe Bacalhau	cru	1 pires	100 g	95,0 cal.
	assado ou grelhado	1 posta	100 g	110,0 cal.
	salgado e prensado	1 posta	100 g	253,9 cal.

ALIMENTO	TIPO	QTDE. PRÁTICA	MEDIDA	CALORIA
Peixe Bacalhau	cozido	1 posta	150 g	111,4 cal.
	à brasileira	1 posta	150 g	633,0 cal.
	à provençal	1 posta	150 g	455,0 cal.
	bolinho	1 médio	30 g	159,0 cal.
Peixe Badejo	cru	2 filés	100 g	96,5 cal.
	cozido	2 filés	100 g	130,9 cal.
Peixe Bagre	cru	1 posta	100 g	178,2 cal.
	cozido	1 posta	100 g	120,0 cal.
	seco ao sol	1 posta	100 g	311,6 cal.
Peixe Baiacu	cru	1 filé	100 g	92,0 cal.
Peixe Baleia	cru	1 filé	100 g	111,8 cal.
	carne salgada	1 filé	100 g	160,0 cal.
Peixe Barbudo	cru	1 filé	100 g	87,0 cal.

ALIMENTO	TIPO	QTDE. PRÁTICA	MEDIDA	CALORIA
Peixe Beijupirá	cru	1 posta	100 g	131,0 cal.
Peixe Bicuda	cru	1 filé	100 g	101,0 cal.
Peixe Biquara	cru	1 filé	100 g	104,0 cal.
Peixe Bonito	cru	1 posta	100 g	149,0 cal.
	em conserva	1 colher sopa	20 g	33,6 cal.
	salgado	1 posta	100 g	276,0 cal.
Peixe Cação	cru	1 filé	100 g	129,0 cal.
	dessecado	1 filé	100 g	195,3 cal.
	à milanesa	1 filé	100 g	228,0 cal.
Camurupim	cru	1 filé	100 g	102,0 cal.
Peixe Candiru	cru	1 filé	100 g	93,0 cal.
Peixe Canhanha	cru	1 filé	100 g	175,0 cal.
Peixe Carapeba	cru	1 filé	100 g	91,0 cal.

ALIMENTO	TIPO	QTDE. PRÁTICA	MEDIDA	CALORIA
Peixe Cardosa	cru	1 filé	100 g	105,0 cal.
Peixe Carpa	crua	1 posta	100 g	86,0 cal.
	assada	1 posta	100 g	109,9 cal.
Peixe Cavala	cru	2 unidades	100 g	138,7 cal.
	assado	2 unidades	100 g	248,0 cal.
Peixe Cherne	cru	1 filé	100 g	81,4 cal.
P.Congro Rosa	cru	1 filé	100 g	93,0 cal.
Peixe Corvina	cru	1 filé	100 g	100,0 cal.
	conserva molho tomate	1 colher sopa	25 g	37,2 cal.
	cozido	1 filé	130 g	177,3 cal.
	negro cru	1 filé	100 g	82,0 cal.
Peixe Cundada	cru	1 filé	100 g	92,0 cal.
	salgado	1 filé	100 g	335,0 cal.

ALIMENTO	TIPO	QTDE. PRÁTICA	MEDIDA	CALORIA
Peixe Curimã	cru	1 filé	100 g	115,0 cal.
Peixe Dourado	cru	1 posta	100 g	80,0 cal.
Peixe Enguia	cru	1 porção	100 g	156,3 cal.
	defumado	1 porção	100 g	330,0 cal.
Peixe Espada	cru	1 porção	100 g	116,0 cal.
	grelhado	1 porção	100 g	158,0 cal.
	salgado	1 porção	100 g	168,0 cal.
Peixe Esturjão	cru	1 porção	100 g	90,0 cal.
	cozido	1 posta	100 g	160,0 cal.
	defumado	1 posta	100 g	141,0 cal.
Peixe Galo	cru	1 porção	100 g	109,0 cal.
P.Garoupa Verdadeira	cru	1 porção	100 g	87,0 cal.

ALIMENTO	TIPO	QTDE. PRÁTICA	MEDIDA	CALORIA
P. Garoupa Verdadeira	cozido	1 porção	100 g	116,3 cal.
P. Garoupa S. Tomé	cru	1 posta	100 g	88,5 cal.
	cozido	1 posta	100 g	137,9 cal.
Peixe Gordinho	cru	1 porção	100 g	102,3 cal.
Peixe Haddock	cru	1 filé	100 g	79,0 cal.
	frito	1 filé	100 g	165,0 cal.
	cozido	1 filé	100 g	100,0 cal.
	defumado	1 posta	100 g	78,0 cal.
Peixe Halibut	assado	1 porção	100 g	160,0 cal.
	grelhado	1 porção	100 g	130,0 cal.
P. Hipoglosso	cru	1 posta	200 g	200,0 cal.

ALIMENTO	TIPO	QTDE. PRÁTICA	MEDIDA	CALORIA
P. Hipoglosso	cozido	1 posta	200 g	340,8 cal.
	defumado	1 posta	115 g	257,0 cal.
Peixe Kani-Kamadamm	carang./peixe prensados	1 stick	16 g	13,0 cal.
Peixe Limão	cru	1 porção	100 g	124,0 cal.
Peixe Linguado	cru	2 filés	100 g	87,0 cal.
	assado/grelhado	2 filés	100 g	90,0 cal.
	ao curry	1 porção	120 g	295,0 cal.
	c/hortelã e limão	1 porção	100 g	112,0 cal.
	cozido ou aferventado	1 porção	100 g	202,0 cal.
Peixe Manjuba	cru	10 unidades	100 g	95,0 cal.
	frito	10 unidades	100 g	285,0 cal.
	salgado	10 unidades	100 g	176,0 cal.

ALIMENTO	TIPO	QTDE. PRÁTICA	MEDIDA	CALORIA
Peixe Mapará	cru	1 porção	100 g	115,0 cal.
Peixe Marimbá	cru	1 porção	100 g	200,0 cal.
Peixe Merluza	cru	1 filé	100 g	200,0 cal.
	cozido	1 filé	100 g	232,0 cal.
	dessecado	1 filé	100 g	330,0 cal.
Peixe Mero	vermelho (cru)	1 porção	100 g	95,5 cal.
Peixe Moréia	cru	1 porção	100 g	126,0 cal.
Peixe Muçum	cru	1 porção	100 g	86,0 cal.
P. Namorado	cru	1 filé	100 g	86,6 cal.
	cozido	1 filé	100 g	121,1 cal.
	à milanesa	1 filé	100 g	190,0 cal.
Peixe Niquim	cru	1 porção	100 g	154,0 cal.
P. Olho-de-Boi	cru	1 porção	100 g	124,0 cal.

ALIMENTO	TIPO	QTDE. PRÁTICA	MEDIDA	CALORIA
Peixe Oveba	cru	1 porção	100 g	95,0 cal.
P. Polombeta	cru	1 porção	100 g	89,0 cal.
	em conserva	1 porção	100 g	229,3 cal.
		1 colher sopa	25 g	57,3 cal.
Peixe Pampo	cru	1 porção	100 g	104,0 cal.
	salgado	1 porção	100 g	193,0 cal.
P. Papa-Terra	cru	1 porção	100 g	102,0 cal.
	salgado	1 porção	100 g	240,0 cal.
Peixe Pargo	cru	1 porção	100 g	97,0 cal.
	vermelho (cru)	1 porção	100 g	94,8 cal.
Peixe Pescada	cru	1 filé	100 g	97,0 cal.
	conserva	1 filé	100 g	144,8 cal.
		1 colher sopa	25 g	36,2 cal.

ALIMENTO	TIPO	QTDE. PRÁTICA	MEDIDA	CALORIA
Peixe Pescada	c/molho de camarão	1 filé	100 g	383,0 cal.
	c/molho de lulas	1 filé	100 g	338,0 cal.
	c/molho de tomate	1 filé	100 g	302,0 cal.
	c/molho tártaro	1 filé	100 g	426,0 cal.
P. Pescadinha	cru	1 filé	100 g	97,0 cal.
	cozido	1 filé	100 g	291,3 cal.
Peixe Piau	cru	1 porção	100 g	86,0 cal.
Peixe Pintado	grelhado	1 posta	200 g	208,0 cal.
Peixe Piragica	cru	1 posta	100 g	144,0 cal.
P. Piramutaba	cru	1 posta	100 g	88,0 cal.
Peixe Pirarucu	salgado	1 posta	100 g	251,0 cal.
	cozido	1 posta	100 g	91,6 cal.
	frito	1 posta	100 g	354,5 cal.

ALIMENTO	TIPO	QTDE. PRÁTICA	MEDIDA	CALORIA
Peixe Pollock	assado ou grelhado	1 filé	100 g	110,0 cal.
Peixe Rei	cru	1 porção	100 g	90,0 cal.
	em conserva	1 colher sopa	25 g	41,0 cal.
Peixe Robalo	cru	1 filé	100 g	72,0 cal.
	defumado	1 filé	100 g	96,0 cal.
	conserva	1 colher sopa	25 g	33,5 cal.
	ensopado	1 porção	160 g	308,0 cal.
	assado	1 filé	140 g	349,0 cal.
Peixe Salmão	cru americano	1 filé	100 g	211,0 cal.
	cru europeu	1 filé	100 g	117,9 cal.
	defumado americano	1 filé	100 g	204,0 cal.
	conserva	1 porção	100 g	187,7 cal.
		1 colher sopa	25 g	46,9 cal.

ALIMENTO	TIPO	QTDE. PRÁTICA	MEDIDA	CALORIA
Peixe Salmão	cozido	1 posta	100 g	181,7 cal.
	salada	1 xícara	200 g	296,0 cal.
		1 colher sopa	25 g	37,0 cal.
	assado ou grelhado	1 posta	200 g	292,0 cal.
P. Salmonete	cru	1 filé	100 g	108,4 cal.
Peixe Sardinha	cru	1 sardinha	33 g	40,9 cal.
	conserva c/molho tomate	1 sardinha	33 g	57,0 cal.
	torta	1 porção	150 g	342,0 cal.
	conserva c/azeite	1 sardinha	33 g	98,3 cal.
	salgado	1 sardinha	33 g	60,7 cal.
	prensado cru	1 sardinha	33 g	44,5 cal.
	grelhado	1 sardinha	33 g	97,0 cal.
Peixe Sarnambi	cru	1 filé	100 g	73,0 cal.

ALIMENTO	TIPO	QTDE. PRÁTICA	MEDIDA	CALORIA
Peixe Cru	cru	1 filé	100 g	115,0 cal.
Peixe Savelha	ou saboga (cru)	1 posta	100 g	171,0 cal.
	conserva c/molho tomate	1 posta	100 g	176,0 cal.
	salgado	1 posta	100 g	311,0 cal.
	cozido	1 posta	100 g	201,0 cal.
Peixe Serra	salgado	1 filé	100 g	188,0 cal.
	cru	1 filé	100 g	108,5 cal.
Peixe Solha	cru	1 filé	100 g	90,0 cal.
Peixe Surubim	cru	1 posta	100 g	107,0 cal.
	salgado	1 posta	100 g	251,0 cal.
Peixe Tainha	cru	1 posta	100 g	173,0 cal.
	cozido	1 posta	100 g	204,0 cal.
	em conserva	1 posta	100 g	144,8 cal.

ALIMENTO	TIPO	QTDE. PRÁTICA	MEDIDA	CALORIA
Peixe Tinga	cru	1 filé	100 g	154,0 cal.
Peixe Tintureira	cru	1 filé	100 g	100,0 cal.
Peixe Tira-Vira	cru	1 filé	100 g	87,0 cal.
Peixe Traíra	cru	1 filé	100 g	82,0 cal.
Peixe Tralhoto	cru	1 filé	100 g	117,0 cal.
Peixe Trilha	cru	1 filé	100 g	114,0 cal.
Peixe Truta	cru	1 posta	100 g	89,3 cal.
	em conserva	1 posta	100 g	145,0 cal.
	assado	1 posta	100 g	189,0 cal.
	defumado	1 posta	100 g	120,0 cal.
Peixe Tubarão	cru	1 posta	100 g	293,4 cal.
Peixe Ubarana	cru	1 posta	100 g	110,0 cal.
Peixe Vermelho	cru	1 porção	100 g	99,0 cal.

ALIMENTO	TIPO	QTDE. PRÁTICA	MEDIDA	CALORIA
Peixe Vermelho	assado ou grelhado	1 porção	100 g	130,0 cal.
Peixe Vieira	cru	1 porção	100 g	82,0 cal.
	cozido	1 porção	100 g	112,0 cal.
Peixe Viola	cru	1 porção	100 g	127,0 cal.
Peixe Voador	cru	1 porção	100 g	92,0 cal.
Peixe Xerelete	cru	1 porção	100 g	99,0 cal.
Peixe Xixarro	cru	1 porção	100 g	114,0 cal.
Penne	massa c/berinjela	1 prato	160 g	538,0 cal.
		1 colher sopa	25 g	84,0 cal.
	c/cogumelos	1 prato	160 g	415,0 cal.
		1 collher sopa	25 g	64,8 cal.
	c/legumes	1 prato	160 g	462,0 cal.
		1 colher sopa	25 g	72,1 cal.

ALIMENTO	TIPO	QTDE. PRÁTICA	MEDIDA	CALORIA
Penne	c/pimentão e manjericão	1 prato	160 g	404,0 cal.
		1 colher sopa	25 g	63,1 cal.
	aos 4 queijos	1 prato	160 g	521,0 cal.
		1 colher sopa	25 g	81,4 cal.
	c/rúcula e queijo	1 prato	160 g	525,0 cal.
		1 colher sopa	25 g	82,0 cal.
	c/salmão	1 prato	160 g	430,0 cal.
		1 colher sopa	25 g	67,1 cal.
	c/tomate e marisco	1 prato	160 g	435,0 cal.
		1 colher sopa	25 g	67,9 cal.
	à romanesca Sadia	1 caixa	600 g	1134,0 cal.
		1 porção	300 g	567,0 cal.
	gratinado Sadia	1 caixa	600 g	1194,0 cal.

ALIMENTO	TIPO	QTDE. PRÁTICA	MEDIDA	CALORIA
Penne		1 porção	300 g	597,0 cal.
Pepino	cru c/casca	1 unidade	150 g	22,0 cal.
	cru s/casca	1 unidade	150 g	4,5 cal.
	em salmoura	1/2 unidade	75 g	8,4 cal.
	com casca/picles	1 pequeno	75 g	9,4 cal.
	do mato	1 unidade	75 g	26,2 cal.
	Hemmer (condim. suave)	1 pepino médio	38 g	9,4 cal.
Pequi	castanha de	1 pires	100 g	89,0 cal.
Pêra	crua	1 unidade	100 g	63,3 cal.
	enlatada c/açúcar	1 unidade	100 g	76,0 cal.
	enlatada c/água	1 unidade	100 g	34,9 cal.
	geléia	1 colher sopa cheia	50 g	131,3 cal.
	dessecada	1 unidade	80 g	6,8 cal.

ALIMENTO	TIPO	QTDE. PRÁTICA	MEDIDA	CALORIA
Pêra	cristalizada	1 unidade	75 g	227,2 cal.
Perdiz	crua	1 pedaço médio	100 g	113,9 cal.
	assada	1 pedaço médio	100 g	99,7 cal.
	conserva	1 porção	100 g	145,5 cal.
		1 colher sopa	25 g	36,7 cal.
Pernil	de porco (assado)	1 pedaço médio	100 g	393,0 cal.
	de porco (à Califórnia)	1 pedaço médio	100 g	338,6 cal.
	de cordeiro (assado)	3 fatias	100 g	194,0 cal.
Peru	assado c/pele	1 pedaço	100 g	267,5 cal.
	assado s/pele	1 pedaço	100 g	178,0 cal.
	inteiro temperado Sadia	2 pedaços	100 g	96,0 cal.
	peito Califórnia Sadia	1 fatia	15 g	13,9 cal.
Pescada	conserva	1 porção	100 g	144,8 cal.

ALIMENTO	TIPO	QTDE. PRÁTICA	MEDIDA	CALORIA
Pescada	conserva	1 colher sopa	25 g	36,2 cal.
	milanesa c/molho/camarão	1 filé	100 g	383,0 cal.
	milanesa c/molho de lulas	1 filé	100 g	338,0 cal.
	milanesa c/molho tomate	1 filé	100 g	302,0 cal.
	milanesa c/molho tártaro	1 filé	100 g	426,0 cal.
Pescadinha	peixe cozido	1 filé	100 g	291,3 cal.
Pêssego	amarelo fresco	1 médio	80 g	41,2 cal.
	branco fresco	1 médio	80 g	50,4 cal.
	conserva enlatado	1/2 médio	40 g	17,1 cal.
	calda enlatado	1/2 médio	40 g	66,8 cal.
	suco de	1 copo	250 ml	39,5 cal.
Petit Four	geral	1 unidade	15 g	69,0 cal.
Picanha	assada	2 fatias	120 g	344,0 cal.

ALIMENTO	TIPO	QTDE. PRÁTICA	MEDIDA	CALORIA
Picanha	ao forno	2 fatias	120 g	252,0 cal.
Picles	pronto cortadinho	1 colher sopa	20 g	4,0 cal.
Picolé	cremoso brigadeiro Yopa	1 unidade	-	189,0 cal.
	cremoso chocolate Yopa .	1 unidade	-	115,0 cal.
	cremoso Chokito Yopa .	1 unidade	-	175,0 cal.
	cremoso coco Yopa . . .	1 unidade	-	97,0 cal.
	cremoso Galak Yopa . . .	1 unidade	-	152,0 cal.
	cremoso Leite Moça Yopa	1 unidade	-	129,0 cal.
	crem. Mega amênd.Yopa	1 unidade	_	307,0 cal.
	cremoso Mega bco.Yopa	1 unidade	_	271,0 cal.
	cremoso Mega Yopa . . .	1 unidade	_	274,0 cal.
	Fruttare abacaxi Kibon . .	1 unidade	_	59,2 cal.
	Fruttare damasco Kibon	1 unidade	_	75,0 cal.

ALIMENTO	TIPO	QTDE. PRÁTICA	MEDIDA	CALORIA
Picolé	Fruttare goiaba Kibon	1 unidade	_	70,0 cal.
	Fruttare jabuticaba Kibon	1 unidade	_	55,0 cal.
	Fruttare kiwi Kibon	1 unidade	_	73,0 cal.
	Fruttare limão Kibon	1 unidade	_	57,6 cal.
	Fruttare manga Kibon	1 unidade	_	70,0 cal.
	Fruttare maracujá Kibon	1 unidade	_	66,0 cal.
	Fruttare morango Kibon	1 unidade	_	66,0 cal.
	Fruttare tangerina Kibon	1 unidade	_	57,0 cal.
	Fruttare uva Kibon	1 unidade	_	66,0 cal.
	Dedito Yopa	1 unidade	_	87,0 cal.
	Gira Gira Yopa	1 unidade	_	58,0 cal.
	Kid banana Yopa	1 unidade	_	158,0 cal.
	Trululu Yopa	1 unidade	_	138,0 cal.

ALIMENTO	TIPO	QTDE. PRÁTICA	MEDIDA	CALORIA
Picolé	Uni Duni Te Yopa	1 unidade	_	35,0 cal.
	Zoing baunilha calda/framb	1 unidade	_	130,0 cal.
	La Fruta amora Yopa	1 unidade	_	64,0 cal.
	La Fruta limão Yopa	1 unidade	_	69,0 cal.
	La Fruta manga Yopa	1 unidade	_	71,0 cal.
	La Fruta morango Yopa	1 unidade	_	70,0 cal.
	La Fruta uva Yopa	1 unidade	_	70,0 cal.
	Milka ao leite Kibon	1 unidade	_	219,0 cal.
	Milka branco Kibon	1 unidade	_	208,0 cal.
	Milka Max avelã Kibon	1 unidade	_	293,0 cal.
	Milka Max baunilha Kibon	1 unidade	_	295,7 cal.
	Brigadeiro Yopa	1 unidade	_	189,0 cal.
	Chicabon Kibon	1 unidade	_	109,0 cal.

ALIMENTO	TIPO	QTDE. PRÁTICA	MEDIDA	CALORIA
Picolé	Frutilly chocolate Kibon	1 unidade	_	194,0 cal.
	Frutilly frutas ver. Kibon	1 unidade	_	121,0 cal.
	Frutilly groselha Kibon	1 unidade	_	60,0 cal.
	Frutilly maracujá Kibon	1 unidade	_	61,0 cal.
	Frutilly morango Kibon	1 unidade	_	113,0 cal.
	Squizz laranja, limão Yopa	1 unidade	_	121,0 cal.
	Squizz maracujá Yopa	1 unidade	_	130,0 cal.
	Kibon leite papaia c/cassis	1 unidade	_	105,0 cal.
	Prestígio Yopa	1 unidade	_	175,0 cal.
	pêssego c/creme leite Yopa	1 unidade	_	129,0 cal.
	moran. c/Leite Moça Yopa	1 unidade	_	129,0 cal.
	Kibonbon Alfajor Kibon	1 unidade	_	187,0 cal.
	Kibonbon brigadeiro	1 unidade	_	194,0 cal.

ALIMENTO	TIPO	QTDE. PRÁTICA	MEDIDA	CALORIA
Picolé	Kibonbon doce de leite	1 unidade	_	238,0 cal.
	Kibonbon Eskibon	1 unidade	_	169,0 cal.
	Kibonbon Tablito	1 unidade	_	265,0 cal.
	Kibonbon Toblerone	1 unidade	_	163,0 cal.
	Woppo Yopa	1 unidade	_	212,0 cal.
Pimenta	camapu	1 colher chá	6 g	2,4 cal.
	malagueta	1 colher chá	6 g	1,5 cal.
	do reino	1 colher chá	6 g	1,4 cal.
	pitanga	1 colher chá	6 g	1,8 cal.
	verde	1 colher chá	6 g	1,4 cal.
	vermelha	1 colher chá	10 g	3,8 cal.
Pimentão	verde cru	1 unidade	50 g	14,5 cal.
	verde cozido	1 unidade	50 g	15,5 cal.

ALIMENTO	TIPO	QTDE. PRÁTICA	MEDIDA	CALORIA
Pimentão	doce cru	1 unidade	50 g	14,3 cal.
	doce evasado	1 unidade	50 g	15,3 cal.
	maduro cru	1 unidade	50 g	37,5 cal.
	verde dessecado	1 unidade	50 g	172,5 cal.
	farinha picante	1 colher sopa	25 g	83,7 cal.
	sementes	1 colher sopa	20 g	88,5 cal.
	recheado de carne	1 unidade	100 g	149,0 cal.
Pinga	de cana	1 copo próprio	50 ml	115,5 cal.
Pinhão	cru	1 unidade	5 g	10,8 cal.
	cozido	1 unidade	5 g	9,7 cal.
Pintado	peixe grelhado ou assado	1 posta	200 g	208,0 cal.
Pipoca	em grão	1 xícara	100 g	353,2 cal.
	c/óleo e sal	1 xícara chá	10 g	40,2 cal.

ALIMENTO	TIPO	QTDE. PRÁTICA	MEDIDA	CALORIA
Pipoca	c/caramelo	1 xícara chá	20 g	140,0 cal.
	cru	1 pacote	55 g	270,0 cal.
	pronta Yoki chocolate	1 pacote	50 g	205,5 cal.
	pronta Yoki morango	1 pacote	50 g	205,5 cal.
Pirão	de farinha de mandioca	1 prato	100 g	120,0 cal.
		1 colher sopa	25 g	30,0 cal.
Pirarucu	peixe salgado	1 posta	100 g	251,0 cal.
	cozido	1 posta	100 g	91,6 cal.
	frito	1 posta	100 g	354,5 cal.
Pistache	amêndoa	1 colher sopa	20 g	128,0 cal.
	com casca Otker	1 pacote	100 g	637,0 cal.
Pitanga	natural	10 unidades	100 g	46,7 cal.
	suco Maguary	1/3 copo	67 ml	16,0 cal.

ALIMENTO	TIPO	QTDE. PRÁTICA	MEDIDA	CALORIA
Pizza	aliche c/muçarela	1 fatia	140 g	266,0 cal.
	alho e óleo	1 fatia	140 g	276,0 cal.
	atum	1 fatia	140 g	309,0 cal.
	atum c/muçarela	1 fatia	140 g	325,0 cal.
	baina	1 fatia	140 g	374,0 cal.
	bacon	1 fatia	140 g	358,0 cal.
	calabresa	1 fatia	140 g	298,0 cal.
	calabresa c/muçarela	1 fatia	140 g	415,0 cal.
	calabresa c/bordas catupiry	1 fatia	140 g	412,0 cal.
	carbonara	1 fatia	140 g	344,0 cal.
	catupiry	1 fatia	140 g	367,0 cal.
	catupiry c/tomate	1 fatia	140 g	324,0 cal.
	c/champignon e pimentão	1 fatia	140 g	280,0 cal.

ALIMENTO	TIPO	QTDE. PRÁTICA	MEDIDA	CALORIA
Pizza	champignon c/muçarela	1 fatia	140 g	249,0 cal.
	champig., catup., tom., pres.	1 fatia	140 g	296,0 cal.
	escarola c/muçarela	1 fatia	140 g	246,0 cal.
	frango c/catupiry	1 fatia	140 g	305,0 cal.
	frango c/milho	1 fatia	140 g	261,0 cal.
	lombo,champig,ceb, mucar	1 fatia	140 g	424,0 cal.
	margarita	1 fatia	140 g	275,0 cal.
	muçarela	1 fatia	140 g	304,0 cal.
	milho c/muçarela	1 fatia	140 g	290,0 cal.
	napolitana	1 fatia	140 g	367,0 cal.
	portuguesa	1 fatia	140 g	396,0 cal.
	presunto, queijo, tomate	1 fatia	140 g	314,0 cal.
	quatro queijos	1 fatia	140 g	432,0 cal.

ALIMENTO	TIPO	QTDE. PRÁTICA	MEDIDA	CALORIA
Pizza	romana	1 fatia	140 g	342,0 cal.
	vegetariana	1 fatia	140 g	258,0 cal.
	calabresa Sadia	1 fatia	110 g	228,8 cal.
	muçarela Sadia	1 fatia	110 g	250,8 cal.
	pres.,muçar.,champ.,Sadia	1 fatia	110 g	187,0 cal.
	quatro queijos Sadia	1 fatia	110 g	281,6 cal.
	Hut Pan Muçarela	1 fatia	——-	246,0 cal.
	Hut Pan Pepperoni	1 fatia	——-	270,0 cal.
	Hut Pan Super Supreme	1 fatia	——-	281,0 cal.
	Hut Pan Supreme	1 fatia	——-	294,0 cal.
	Hut Thin'n Crispy Muçar.	1 fatia	——-	199,0 cal.
	Hut Thin'n Crispy Pepperoni	1 fatia	——	206,0 cal.
	Hut Thin'n Crispy Supreme	1 fatia		229,0 cal.

ALIMENTO	TIPO	QTDE. PRÁTICA	MEDIDA	CALORIA
Pizza	Hut Thin'n Crispy Supersup	1 fatia	————	231,0 cal.
Polenta	cozida	1 colher sopa	30 g	138,0 cal.
		1 quadrado	40 g	184,0 cal.
	frita	1 quadrado	40 g	169,0 cal.
	Polentina cozida	1 colher sopa	30 g	102,0 cal.
	Polentina cozida temper.	1 colher sopa	30 g	100,5 cal.
	Kipolenta Yoki	1 colher sopa	15 g	53,0 cal.
Polvilho	pó	1 xícara	120 g	408,0 cal.
		1 colher sopa	15 g	51,0 cal.
	mandioca	1 xícara	120 g	422,4 cal.
		1 colher sopa	15 g	52,8 cal.
	doce	1 xícara	120 g	392,0 cal.
		1 colher sopa	15 g	49,0 cal.

ALIMENTO	TIPO	QTDE. PRÁTICA	MEDIDA	CALORIA
Polvo	cru	1 xícara chá	100 g	64,0 cal.
	cozido	1 porção	120 g	210,0 cal.
		1 colher sopa	25 g	43,7 cal.
	salada de	1 porção	120 g	237,0 cal.
		1 colher sopa	25 g	49,3 cal.
	com leite de coco	1 porção	130 g	699,0 cal.
		1 colher sopa	25 g	134,4 cal.
Ponche	de frutas	1 copo	200 ml	100,0 cal.
Pop Corn	bacon Yoky	1 xícara chá	10 g	52,0 cal.
	manteiga Yoky	1 xícara chá	10 g	52,0 cal.
	queijo Yoky	1 xícara chá	10 g	52,0 cal.
Porco	assado	1 fatia	100 g	393,0 cal.
	bisteca assada	2 unidades	100 g	337,0 cal.

ALIMENTO	TIPO	QTDE. PRÁTICA	MEDIDA	CALORIA
Porco	lombo assado	1 pedaço médio	100 g	272,0 cal.
	pernil assado	1 pedaço médio	100 g	393,0 cal.
	tender	2 fatias	100 g	210,0 cal.
	toucinho defumado	1 fatia fina	20 g	138,0 cal.
	agridoce	1 porção	160 g	553,0 cal.
	c/páprica	1 porção	160 g	338,0 cal.
Presuntada	Batavo	1 fatia	20 g	25,2 cal.
	Swift	1 fatia	20 g	30,4 cal.
	Seara	1 fatia	20 g	28,0 cal.
	Sadia	1 fatia	20 g	33,3 cal.
Presunto	cozido Aurora	1 fatia	15 g	17,7 cal.
	cozido Sadia	1 fatia	15 g	18,.0 cal.
	cozido Seara	1 fatia	15 g	17,0 cal.

ALIMENTO	TIPO	QTDE. PRÁTICA	MEDIDA	CALORIA
Presunto	cozido York Sadia	1 fatia	15 g	17,0 cal.
	de peru Sadia	1 fatia	15 g	15,4 cal.
	defum. Maryland Perdigão	1 fatia	15 g	26,2 cal.
	tenro lanche Seara	1 fatia	15 g	17,0 cal.
	tenro Seara	1 fatia	15 g	14,0 cal.
	texano Seara	1 fatia	15 g	15,0 cal.
	tipo parma Sadia	1 fatia	15 g	38,0 cal.
	tradic. s/gordura Seara	1 fatia	15 g	12,0 cal.
	tradicional Seara	1 fatia	15 g	19,0 cal.
	tenro defumado Sadia	1 fatia	15 g	18,5 cal.
Profiteroles	doce/assada/sem recheio	1 unidade	20 g	34,0 cal.
	doce/frita/sem recheio	1 unidade	20 g	42,0 cal.
Pudim Caseiro	arroz	1 porção	100 g	230,0 cal.

ALIMENTO	TIPO	QTDE. PRÁTICA	MEDIDA	CALORIA
Pudim Caseiro	batata-doce	1 porção	100 g	290,0 cal.
	claras	1 porção	80 g	104,6 cal.
	chocolate	1 porção	100 g	277,0 cal.
	coco	1 porção	100 g	321,0 cal.
	laranja	1 porção	100 g	238,0 cal.
	laranja c/calda	1 porção	100 g	339,0 cal.
	Leite Moça	1 porção	90 g	153,0 cal.
	leite (s/leite condensado)	1 porção	100 g	199,0 cal.
	manga	1 porção	100 g	84,0 cal.
	milho verde	1 porção	120 g	176,5 cal.
	pão	1 porção	100 g	239,9 cal.
	queijo	1 porção	120 g	273,2 cal.
	tapioca	1 porção	100 g	133,3 cal.

ALIMENTO	TIPO	QTDE. PRÁTICA	MEDIDA	CALORIA
Pudim Indus.	baunilha diet Doce Menor	1 porção	90 g	40,0 cal.
	baunilha diet Otker	1 porção	100 g	25,0 cal.
	baun. diet Royal l. desn.	1 porção	100 g	56,0 cal.
	baunilha diet Royal l. int.	1 porção	100 g	83,0 cal.
	baunilha Ducoco	1 porção	100 g	107,0 cal.
	baunilha Otker	1 porção	100 g	119,0 cal.
	baunilha Royal	1 porção	100 g	149,0 cal.
	baunilha Sol	1 porção	100 g	129,0 cal.
	caramelo diet Doce Menor	1 porção	90 g	40,0 cal.
	caramelo diet Otker	1 porção	100 g	25,0 cal.
	caramelo Otker	1 porção	100 g	119,0 cal.
	caramelo Royal	1 porção	100 g	170,0 cal.
	caramelo Sol	1 porção	100 g	129,0 cal.

ALIMENTO	TIPO	QTDE. PRÁTICA	MEDIDA	CALORIA
Pudim Indus.	chocol. diet Doce Menor	1 porção	90 g	50,0 cal.
	chocolate diet Otker . . .	1 porção	100 g	25,0 cal.
	chocolate Ducoco	1 porção	100 g	118,0 cal.
	chocolate Otker	1 porção	100 g	117,0 cal.
	chocolate Royal	1 porção	100 g	168,0 cal.
	chocolate Sol	1 porção	100 g	129,0 cal.
	coco Danone	1 porção	100 g	75,0 cal.
	coco diet Doce Menor . .	1 porção	90 g	40,0 cal.
	coco diet Otker	1 porção	100 g	25,0 cal.
	coco Ducoco	1 porção	100 g	107,0 cal.
	coco Otker	1 porção	100 g	119,0 cal.
	coco Sol	1 porção	100 g	129,0 cal.
	leite c/calda caram. Nestlé	1 porção	100 g	153,0 cal.

ALIMENTO	TIPO	QTDE. PRÁTICA	MEDIDA	CALORIA
Pudim Indus.	leite diet Doce Menor	1 porção	90 g	40,0 cal.
	leite Ducoco	1 porção	100 g	159,0 cal.
	leite Otker	1 porção	150 g	157,0 cal.
	morango Sol	1 porção	100 g	130,0 cal.
	morango diet Doce Menor	1 porção	90 g	40,0 cal.
	morango Otker	1 porção	100 g	118,0 cal.
	morango Royal	1 porção	150 g	165,0 cal.
Purê	abóbora	1 colher sopa	20 g	36,8 cal.
	aipim	1 colher sopa	33,3 g	39,9 cal.
	alho poró	1 colher sopa	20 g	37,2 cal.
	ameixa	1 colher sopa	20 g	35,0 cal.
	batata c/leite, margarina	1 colher sopa	33,3 g	39,2 cal.
	batata Yoki	1 colher sopa	33,3 g	36,6 cal.

ALIMENTO	TIPO	QTDE. PRÁTICA	MEDIDA	CALORIA
Purê	batata-doce	1 colher sopa	33,3 g	132,5 cal.
	beterraba	1 colher sopa	20 g	8,0 cal.
	castanha	1 colher sopa	20 g	191,0 cal.
	cenoura	1 colher sopa	20 g	7,0 cal.
	ervilha c/leite desnat.	1 colher sopa	20 g	35,0 cal.
	espinafre	1 colher sopa	20 g	24,0 cal.
	espinafre em lata	1 colher sopa	20 g	5,0 cal.
	feijão	1 colher sopa	33,3 g	110,6 cal.
	lentilha	1 colher sopa	20 g	8,0 cal.
	maçã	1 colher sopa	20 g	19,0 cal.
	mandioquinha	1 colher sopa	33,3 g	52,4 cal.
	rúcula	1 colher sopa	20 g	72,8 cal.
	tomate em conserva	1 colher sopa	20 g	7,7 cal.

ALIMENTO	TIPO	QTDE. PRÁTICA	MEDIDA	CALORIA
Purê	tomate Maggi	1 colher sopa	20 g	6,0 cal.
Pururuca	leitão	1 porção	100 g	548,0 cal.

LETRA Q

ALIMENTO	TIPO	QTDE. PRÁTICA	MEDIDA	CALORIA
Quebra-Queixo	doce	1 quadrado	90 g	291,0 cal.
Queijadinha	doce de coco	1 unidade	85 g	107,0 cal.
	caseira	1 unidade	35 g	51,0 cal.
	Panco	1 unidade	90 g	128,0 cal.
Queijo	açoriano nacional	1 fatia	30 g	109,4 cal.
	americano pasteurizado	1 fatia	25 g	83,7 cal.
	americano cremoso	1 colher sopa	20 g	66,6 cal.
	aperitivo Luna	1 fatia	25 g	91,0 cal.
	Bel Paese nacional	1 fatia	25 g	82,8 cal.
	Brick	1 fatia	25 g	90,0 cal.
	Brie nacional	1 fatia	30 g	77,5 cal.
	Brie Luna	1 fatia	30 g	104,0 cal.
	Camembert	1 unidade	50 g	135,7 cal.

ALIMENTO	TIPO	QTDE. PRÁTICA	MEDIDA	CALORIA
Queijo	Camembert francês	1 unidade	50 g	146,7 cal.
	cavalo italiano	1 fatia	30 g	88,8 cal.
	cavalo nacional	1 fatia	30 g	92,6 cal.
	ceará	1 fatia	30 g	134,0 cal.
	Catupiry	1 colher sopa	20 g	50,3 cal.
	Cheddar americano	1 fatia	30 g	107,1 cal.
	Cheddar Luna	1 fatia	30 g	114,0 cal.
	Cheddar nacional	1 fatia	30 g	126,9 cal.
	Cheddar	1 fatia	30 g	124,4 cal.
	Chubut	1 fatia	30 g	98,4 cal.
	Cottage	1 colher sopa	15 g	15,0 cal.
	Cobocó	1 fatia	30 g	107,7 cal.
	cream cheese Danúbio	1 colher sopa	20 g	64,0 cal.

ALIMENTO	TIPO	QTDE. PRÁTICA	MEDIDA	CALORIA
Queijo	cream cheese light Danúbio	1 colher sopa	20 g	41,0 cal.
	cr.cheese calabr. Nestlé	1 colher sopa	20 g	55,0 cal.
	cr.cheese cebola Nestlé	1 colher sopa	20 g	55,0 cal.
	cr.cheese ervas finas Nestlé	1 colher sopa	20 g	54,0 cal.
	Cremutcho	1 colher sopa	25 g	162,0 cal.
	cheese Philadelphia	1 colher sopa	20 g	20,0 cal.
	cheese Philadelphia light	1 colher sopa	20 g	14,0 cal.
	cheese Philadelphia cebol.	1 colher sopa	20 g	22,0 cal.
	cheese Philadelphia mor.	1 colher sopa	20 g	20,0 cal.
	cheese Philadelphia salm.	1 colher sopa	20 g	20,0 cal.
	edam	1 fatia	30 g	91,5 cal.
	ementhal nacional	1 fatia	30 g	85,8 cal.
	ementhal suíço	1 fatia	30 g	118,8 cal.

ALIMENTO	TIPO	QTDE. PRÁTICA	MEDIDA	CALORIA
Queijo	emental Catari	1 fatia	30 g	92,0 cal.
	fondue Luna	1 porção	67 g	276,0 cal.
	formaggino Parmalat	1 unidade	20 g	49,0 cal.
	fundido	1 fatia	35 g	123,2 cal.
	fundido Ninho Soleil	1 unidade	20,8 g	43,8 cal.
	gorgonzola italiano	1 fatia	30 g	144,0 cal.
	gorgonzola francês	1 fatia	30 g	111,3 cal.
	gorgonzola nacional	1 fatia	30 g	119,1 cal.
	gorgonzola Luna	1 fatia	30 g	107,0 cal.
	gouda Luna	1 fatia	30 g	107,0 cal.
	gruyère francês	1 porção	25 g	92,8 cal.
	gruyère nacional	1 porção	25 g	78,0 cal.
	gruyère Luna	1 porção	25 g	89,0 cal.

ALIMENTO	TIPO	QTDE. PRÁTICA	MEDIDA	CALORIA
Queijo	holanda	1 fatia	30 g	103,5 cal.
	itálico Luna	1 fatia	30 g	107,0 cal.
	Liederkranz	1 fatia	30 g	90,0 cal.
	limburguês nacional	1 fatia	30 g	99,0 cal.
	limburguês suíço	1 fatia	30 g	96,5 cal.
	luninho Luna	1 unidade	30 g	53,0 cal.
	mainz	1 fatia	30 g	59,7 cal.
	Mio Nestlé	1 unidade	20 g	40,0 cal.
	muçarela	1 fatia	15 g	48,7 cal.
	muçarela de búfala	1 nó	20 g	65,0 cal.
	neufchatel nacional	1 fatia	30 g	93,3 cal.
	neufchatel suíço	1 fatia	30 g	86,6 cal.
	Palmira	1 fatia	30 g	114,1 cal.

ALIMENTO	TIPO	QTDE. PRÁTICA	MEDIDA	CALORIA
Queijo	parmesão argentino	1 fatia	30 g	114,3 cal.
	parmesão italiano	1 fatia	30 g	118,8 cal.
	parmesão nacional	1 fatia	30 g	121,3 cal.
	parmesão ralado	1 colher sopa	15 g	69,0 cal.
	pasteuriz.cheddar Luna	1 colher sopa	20 g	68,0 cal.
	pasteuriz. gruyère Luna	1 colher sopa	20 g	68,0 cal.
	pecorino italiano	1 fatia	35 g	143,0 cal.
	pecorino nacional	1 fatia	35 g	127,8 cal.
	Petit-Suisse	1unidade	25 g	45,4 cal.
	Polenguinho	1 unidade	20 g	71,8 cal.
	Polenguinho azeitona	1 unidade	20 g	71,8 cal.
	Polenguinho presunto	1 unidade	20 g	71,8 cal.
	port-du-salut nacional	1 fatia	30 g	122,8 cal.

ALIMENTO	TIPO	QTDE. PRÁTICA	MEDIDA	CALORIA
Queijo	prato	1 fatia	15 g	52,9 cal.
	prato coboco Luna	1 fatia	30 g	102,0 cal.
	prato lanche Luna	1 fatia	30 g	102,0 cal.
	prato light Tirolês	1 fatia	30 g	69,0 cal.
	prato Minilanche Luna	1 fatia	15 g	51,0 cal.
	prato Polengui	1 fatia	15 g	46,0 cal.
	provolone italiano	1 fatia	15 g	44,3 cal.
	provolone nacional	1 fatia	15 g	50,5 cal.
	provolone Polengui	1 fatia	15 g	46,0 cal.
	quartirolo	1 porção	30 g	77,5 cal.
	-de-Minas	1 fatia	30 g	112,0 cal.
	-de-Minas Frescal	1 fatia	30 g	72,9 cal.
	-de-Minas Frescal Danúbio	1 fatia	30 g	70,0 cal.

ALIMENTO	TIPO	QTDE. PRÁTICA	MEDIDA	CALORIA
Queijo	-de-Minas Frescal Frescat.	1 fatia	30 g	57,0 cal.
	-de-Minas Frescal light	1 fatia	30 g	46,0 cal.
	-de-Minas semicurado	1 fatia	30 g	89,7 cal.
	-do-norte	1 fatia	30 g	114,2 cal.
	-do-reino Luna	1 fatia	30 g	114,0 cal.
	-do-reino nacional	1 fatia	30 g	154,1 cal.
	-do-reino suíço	1 fatia	30 g	114,1 cal.
	requeijão comum	1 colher sopa	20 g	70,7 cal.
	requeijão cremoso Danone	1 colher sopa	20 g	58,0 cal.
	req. cremoso light Nestlé	1 colher sopa	20 g	36,0 cal.
	requeijão cremoso Nestlé	1 colher sopa	20 g	54,0 cal.
	req. crem. Poços de Caldas	1 colher sopa	20 g	58,0 cal.
	requeijão Danúbio light	1 colher sopa	20 g	27,0 cal.

ALIMENTO	TIPO	QTDE. PRÁTICA	MEDIDA	CALORIA
Queijo	ricota de leite integral	1 fatia	30 g	53,6 cal.
	ricota leite semidesnatado	1 fatia	30 g	40,0 cal.
	roquefort francês	1 fatia	25 g	96,2 cal.
	roquefort nacional	1 fatia	25 g	99,5 cal.
	saint paulin Luna	1 fatia	30 g	101,0 cal.
	suíço	1 fatia	30 g	122,0 cal.
	tilsit nacional	1 fatia	35 g	125,3 cal.
	tilsit Luna	1 fatia	35 g	132,0 cal.
	tofu (queijo de soja)	1 porção	50 g	68,0 cal.
Quiabo	cru	1 pires	100 g	38,6 cal.
	cozido	10 unidades	100 g	30,0 cal.
	c/carne moída	1 porção	150 g	223,0 cal.
Quibe	cru	1 colher sopa	35 g	45,9 cal.

ALIMENTO	TIPO	QTDE. PRÁTICA	MEDIDA	CALORIA
Quibe	frito	1 unidade	85 g	176,0 cal.
	assado	1 quadrado	100 g	190,0 cal.
	Sadia	3 unidades	100 g	180,0 cal.
	Seara	3 unidades	100 g	204,0 cal.
	Quibinho Sadia	4 unidades	100 g	180,0 cal.
	Quibinho Seara	4 unidades	100 g	204,0 cal.
Quiche	presunto	1 unidade	80 g	386,0 cal.
	queijo	1 unidade	80 g	382,0 cal.
	queijo Findus	1 unidade	80 g	306,0 cal.
	cogumelo	1 unidade	80 g	203,0 cal.
	lorraine	1 unidade	80 g	396,0 cal.
	lorraine Findus	1 unidade	80 g	277,0 cal.
Quindim	de coco	1 unidade	80 g	314,0 cal.

ALIMENTO	TIPO	QTDE. PRÁTICA	MEDIDA	CALORIA
Quindim	Ducoco	1 unidade	50 g	291,0 cal.
	Royal	1 unidade	45 g	157,0 cal.

LETRA R

ALIMENTO	TIPO	QTDE. PRÁTICA	MEDIDA	CALORIA
Rã	crua	1/2 rã	100 g	64,0 cal.
	pata	4 unidades	30 g	20,4 cal.
Rabada	boi (crua)	1 porção	100 g	338,5 cal.
	pronta	1 porção	260 g	601,0 cal.
Rabanada	doce	1 fatia	33 g	148,2 cal.
Rabanete	cru	1 pires	100 g	15,9 cal.
Rábano	folhas	1 pires	100 g	16,0 cal.
	bulbo	1 pires	100 g	20,0 cal.
Rabo	porco (salgado) Sadia	3 unidades	100 g	426,0 cal.
Raia	peixe cru	1 posta	100 g	90,0 cal.
Raiz	de lótus	5 fatias	100 g	30,0 cal.
Rapadura	pronta	1 pedaço	50 g	171,5 cal.
Raspadinha	groselha	1 copo	50 ml	123,0 cal.

ALIMENTO	TIPO	QTDE. PRÁTICA	MEDIDA	CALORIA
Ravióli	de carne Frescarini	1 porção	160 g	460,8 cal.
	de frango Frescarini	1 porção	160 g	449,6 cal.
	molho Chef Swift Premium	1 prato	250 g	225,0 cal.
	ricota c/espinafre Frescarini	1 porção	160 g	461,0 cal.
	ricota 4 queijos	1 porção	160 g	718,0 cal.
	queijo Sadia	1 porção	200 g	596,0 cal.
Ratatouille	pronto	1 colher sopa	20 g	38,0 cal.
Recheio	cobertura chocol. Nestlé	1 colher sopa	20 g	65,0 cal.
	cobert. doce leite e coco	1 colher sopa	20 g	66,0 cal.
Refrigerante	água tônica Antárctica	1 lata	350 ml	112,0 cal.
		1 copo	250 ml	80,0 cal.
	água tônica Brahma	1 copo	250 ml	79,9 cal.
	água tônica diet Antárctica	1 lata	350 ml	1,0 cal.

ALIMENTO	TIPO	QTDE. PRÁTICA	MEDIDA	CALORIA
Refrigerante	club soda Antárctica . . .	não possui calorias		
	Coca Cola tradicional . .	1 lata	350 ml	136,5 cal.
		1 copo	250 ml	97,5 cal.
	Coca diet	1 lata	350 ml	1,4 cal.
		1 copo	250 ml	1,0 cal.
	Coca light	1 lata	350 ml	1,4 cal.
	Fanta Laranja	1 lata	350 ml	189,0 cal.
		1 copo	250 ml	135,0 cal.
	Fanta Laranja diet	1 lata	350 ml	15,0 cal.
		1 copo	250 ml	10,7 cal.
	Limão Brahma	1 lata	350 ml	135,9 cal.
		1 copo	250 ml	97,1 cal.

ALIMENTO	TIPO	QTDE. PRÁTICA	MEDIDA	CALORIA
Refrigerante	gasosa à base de frutas	1 copo	250 ml	114,1 cal.
	guaraná	1 lata	350 ml	112,0 cal.
		1 copo	250 ml	80,0 cal.
	guaraná Antárctica	1 lata	350 ml	143,5 cal.
		1 copo	250 ml	102,5 cal.
	guaraná Antárctica diet	1 lata	350 ml	1,3 cal.
		1 copo	250 ml	0,9 cal.
	guaraná Brahma	1 lata	350 ml	143,7 cal.
		1 copo	250 ml	102,6 cal.
	guaraná Brahma light	1 lata	350 ml	2,0 cal.
		1 copo	250 ml	1,4 cal.
	Pop Cola	1 lata	350 ml	147,0 cal.
		1 copo	250 ml	105,0 cal.

ALIMENTO	TIPO	QTDE. PRÁTICA	MEDIDA	CALORIA
Refrigerante	Pop Cola diet	1 lata	350 ml	1,4 cal.
		1 copo	250 ml	1,0 cal.
	Pop Laranja	1 lata	350 ml	178,5 cal.
		1 copo	250 ml	127,5 cal.
	Pop Laranja Diet	1 lata	350 ml	10,5 cal.
		1 copo	250 ml	7,5 cal.
	Sprite	1 lata	350 ml	115,0 cal.
		1 copo	250 ml	82,1 cal.
	Sprite diet Limão	1 lata	350 ml	5,0 cal.
		1 copo	250 ml	3,5 cal.
	soda Cristal Brahma	não possui calorias		
	soda limonada Antár. diet	1 copo	250 ml	1,5 cal.
	Sukita	1 lata	350 ml	170,6 cal.

ALIMENTO	TIPO	QTDE. PRÁTICA	MEDIDA	CALORIA
Refrigerante		1 copo	250 ml	121,9 cal.
Repolho	cru	1 pires	100 g	25,0 cal.
	cozido	1 xícara	100 g	13,0 cal.
		1 colher sopa	25 g	3,2 cal.
	desidratado	1 pires	50 g	141,6 cal.
	chinês (cru)	1 pires	100 g	13,3 cal.
	charuto	1 pequeno	46,6 g	47,3 cal.
	chucrute	1 pires	120 g	23,7 cal.
	c/presunto defumado	1 porção	130 g	409,0 cal.
Requeijão	comum	1 colher sopa	20 g	70,7 cal.
	cremoso Danone	1 colher sopa	20 g	58,0 cal.
	cremoso light Nestlé	1 colher sopa	20 g	36,0 cal.
	cremoso Nestlé	1 colher sopa	20 g	54,0 cal.

ALIMENTO	TIPO	QTDE. PRÁTICA	MEDIDA	CALORIA
Requeijão	cremoso Poços de Caldas	1 colher sopa	20 g	58,0 cal.
	Danúbio light	1 colher sopa	20 g	27,0 cal.
	Danúbio salmão	1 colher sopa	20 g	38,0 cal.
	Danúbio ervas finas	1 colher sopa	20 g	58,0 cal.
	Danúbio queijo azul	1 colher sopa	20 g	39,2 cal.
Ricota	leite integral	1 fatia	30 g	53,6 cal.
	leite semidesnatado	1 fatia	30 g	40,0 cal.
Rim	boi (cru)	1 pedaço	100 g	111,0 cal.
	boi (cozido ou grelhado)	1 xícara/picado	155 g	390,6 cal.
	boi (cozido c/bacon)	1 porção	100 g	362,0 cal.
	coelho (cru)	1 pedaço	100 g	119,1 cal.
	cordeiro (cru)	1 pedaço	100 g	104,0 cal.
	ovelha (cru)	1 pedaço	100 g	100,1 cal.

ALIMENTO	TIPO	QTDE. PRÁTICA	MEDIDA	CALORIA
Rim	porco (cru)	1 pedaço	100 g	141,8 cal.
	vitela (cru)	1 pedaço	100 g	125,2 cal.
Risoto	alcachofra	1 xícara	120 g	456,0 cal.
		1 colher sopa	20 g	76,0 cal.
	à piemontese	1 xícara	120 g	432,0 cal.
	à piemontese	1 colher sopa	25 g	90,1 cal.
	à milanesa	1 xícara	120 g	414,7 cal.
		1 colher sopa	25 g	86,4 cal.
		1 colher sopa	20 g	30,0 cal.
	bacalhau	1 porção	150 g	349,0 cal.
		1 colher sopa	20 g	46,5 cal.
	c/brócolis	1 porção	150 g	323,0 cal.
		1 colher sopa	25 g	53,8 cal.

ALIMENTO	TIPO	QTDE. PRÁTICA	MEDIDA	CALORIA
Risoto	legumes	1 xícara	100 g	260,0 cal.
		1 colher sopa	20 g	52,0 cal.
	camponês Maggi	1 colher sopa	20 g	38,0 cal.
	milanês Maggi	1 colher sopa	20 g	37,0 cal.
	à valligiana Maggi	1 colher sopa	20 g	39,0 cal.
Rissoles	de camarão	1 unidade	35 g	152,0 cal.
	de carne	1 unidade	35 g	137,3 cal.
	de palmito	1 unidade	35 g	128,0 cal.
	de queijo	1 unidade	35 g	148,0 cal.
Robalo	peixe cru	1 filé	100 g	72,0 cal.
	ensopado	1 porção	160 g	308,0 cal.
	assado	1 filé	140 g	349,0 cal.
	recheado	1 porção	200 g	470,0 cal.

ALIMENTO	TIPO	QTDE. PRÁTICA	MEDIDA	CALORIA
Rocambole Doce	chocolate	1 fatia	50 g	152,0 cal.
	creme	1 fatia	50 g	110,0 cal.
	doce de leite Panco	1 fatia	50 g	180,0 cal.
	goiabada Panco	1 fatia	50 g	180,0 cal.
	Pullman	1 fatia	50 g	184,0 cal.
Rocambole Salg.	batata	1 fatia	100 g	243,0 cal.
	carne	1 fatia	100 g	249,0 cal.
	camarão	1 fatia	100 g	345,0 cal.
	batata e carne	1 fatia	100 g	263,0 cal.
	mandioquinha	1 fatia	100 g	318,0 cal.
Rol. Primavera	pronto	1 unidade	40 g	111,0 cal.
Roll	defum. chester Perdigão .	1 fatia	15 g	24,0 cal.
Romã	fresca	1 unidade	100 g	62,0 cal.

ALIMENTO	TIPO	QTDE. PRÁTICA	MEDIDA	CALORIA
Romã	suco natural	1/2 copo	125 ml	61,1 cal.
		1 copo	250 ml	122,2 cal.
Rondelli	espinafre	2 unidades	160 g	502,0 cal.
	frango	2 unidades	160 g	392,0 cal.
	4 queijos	2 unidades	160 g	719,0 cal.
Rosbife	carne crua	1 fatia	50 g	83,0 cal.
	sanduíche Arby's Classic	1 unidade	140 g	353,0 cal.
	sanduíche Arby's Júnior	1 unidade	79 g	220,0 cal.
	Super Arby's	1 unidade	239 g	522,0 cal.
	pronto	3 fatias	150 g	474,0 cal.
Rosca	de padaria	1 unidade	38 g	118,0 cal.
	tipo pastel dinamarquês	1 fatia	65 g	275,0 cal.
	industrializada	1 unidade	35 g	109,0 cal.

ALIMENTO	TIPO	QTDE. PRÁTICA	MEDIDA	CALORIA
Rosca	de frutas	1 unidade	38 g	113,0 cal.
	de passas	1 fatia	43 g	118,0 cal.
Ruibarbo	fresco	1 pires	100 g	23,1 cal.
	talos	1 pires	100 g	15,0 cal.
	cozido c/açúcar	1 xícara	150 g	211,0 cal.
Romeu e Julieta	queijo c/goiaba	1 porção	80 g	206,0 cal.
Roulé	de peru Sadia	1 fatia fina	5,5 g	5,7 cal.
Rum	bebida alcoólica	1 dose	50 ml	110,0 cal.

LETRA S

ALIMENTO	TIPO	QTDE. PRÁTICA	MEDIDA	CALORIA
Sagu	s/cozinhar	1 colher sopa	15 g	51,0 cal.
	cereja Otker	1 porção	100 g	109,0 cal.
		1 colher sopa	25 g	27,2 cal.
	c/leite	1 porção	100 g	122,0 cal.
		1 colher sopa	25 g	30,5 cal.
	c/suco de frutas	1 porção	100 g	116,8 cal.
		1 colher sopa	25 g	29,2 cal.
	c/vinho	1 porção	100 g	144,8 cal.
	c/vinho	1 colher sopa	25 g	36,2 cal.
	framboesa Otker	1 porção	100 g	109,0 cal.
		1 colher sopa	25 g	27,2 cal.
	morango Otker	1 porção	100 g	109,0 cal.
		1 colher sopa	25 g	27,2 cal.

ALIMENTO	TIPO	QTDE. PRÁTICA	MEDIDA	CALORIA
Sagu	uva Otker	1 porção	100 g	109,0 cal.
		1 colher sopa	25 g	27,2 cal.
	Yoki -limão, laranj. ou uva	1 porção	110 g	126,0 cal.
Sal	refinado	1 colher chá	8 g	0,0 cal.
	c/alho	1 colher chá	8 g	3,6 cal.
Salada Doce	frutas (caseira)	1 taça	150 g	172,5 cal.
		1 colher sopa	30 g	34,5 cal.
	frutas c/chantili	1 taça	150 g	375,0 cal.
		1 colher sopa	30 g	75,0 cal.
	frutas c/sorvete	1 taça	150 g	252,0 cal.
		1 colher sopa	30 g	50,4 cal.
Salada Salgada	árabe	1 porção	100 g	336,0 cal.
		1 colher sopa	25 g	84,0 cal.

ALIMENTO	TIPO	QTDE. PRÁTICA	MEDIDA	CALORIA
Salada Salgada	alface c/gorgonzola	1 porção	50 g	112,0 cal.
		1 colher sopa	15 g	33,6 cal.
	batata	1 porção	100 g	147,0 cal.
		1 colher sopa	25 g	36,7 cal.
	batata c/maionese	1 porção	100 g	240,0 cal.
		1 colher sopa	25 g	60,0 cal.
	camarão e vieiras	1 porção	100 g	264,6 cal.
		1 colher sopa	25 g	66,1 cal.
	charque	1 porção	100 g	299,2 cal.
		1 colher sopa	25 g	74,8 cal.
	feijão fradinho	1 porção	100 g	158,0 cal.
		1 colher sopa	25 g	39,5 cal.
	feijão preto	1 porção	100 g	259,0 cal.

ALIMENTO	TIPO	QTDE. PRÁTICA	MEDIDA	CALORIA
Salada Salgada		1 colher sopa	25 g	64,7 cal.
	legumes	1 porção	100 g	83,0 cal.
		1 colher sopa	25 g	20,7 cal.
	lentilha	1 porção	100 g	298,0 cal.
		1 colher sopa	25 g	74,5 cal.
	mista	1 porção	100 g	129,0 cal.
		1 colher sopa	25 g	32,2 cal.
	peru defumado	1 porção	100 g	559,0 cal.
		1 colher sopa	25 g	139,7 cal.
	russa	1 porção	100 g	180,0 cal.
		1 colher sopa	25 g	45,0 cal.
	salmão	1 porção	100 g	148,0 cal.
		1 colher sopa	25 g	37,0 cal.

ALIMENTO	TIPO	QTDE. PRÁTICA	MEDIDA	CALORIA
Salada Salgada	trigo integral	1 porção	100 g	159,0 cal.
		1 colher sopa	25 g	39,7 cal.
	China In Box	1 porção	370 g	450,0 cal.
		1 colher sopa	25 g	30,4 cal.
Salame	alemão Seara	1 fatia	2,5 g	9,0 cal.
	Friolano Sadia	1 fatia	2,5 g	9,0 cal.
	hamburguês Sadia	1 fatia	2,5 g	10,3 cal.
	italiano Sadia	1 fatia	2,5 g	10,0 cal.
	italiano Seara	1 fatia	2,5 g	8,3 cal.
	milano Sadia	1 fatia	2,5 g	10,0 cal.
	milano Seara	1 fatia	2,5 g	9,0 cal.
	Seara	1 fatia	2,5 g	9,0 cal.
	salaminho Sadia	1 fatia	2,5 g	9,0 cal.

ALIMENTO	TIPO	QTDE. PRÁTICA	MEDIDA	CALORIA
Salgadinho	amendoim cozido c/sal	1 colher sopa	15 g	50,0 cal.
	amendoim japonês Fritex	1 pacote	200 g	469,0 cal.
	amendoim torrado c/sal	1 colher sopa	20 g	119,0 cal.
	batata Pringles original	1 unidade	1,5 g	11,4 cal.
	batata Pringles Right	1 unidade	1,5 g	8,7 cal.
	batata Pringles Barbecue	1 unidade	1,5 g	10,7 cal.
	bacon Mini Bits Nabisco	1 pacote	100 g	504,0 cal.
	bacon Snaps	1 pacote	55 g	120,0 cal.
	Bacontex Fritex	1 pacote	80 g	440,0 cal.
	Baconzitos Elma Chips	1 pacote	55 g	259,0 cal.
	batata palha Fritex	1 pacote	100 g	726,0 cal.
	batata Ruffles	1 pacote	80 g	424,0 cal.
	batata Ruffles cebola	1 pacote	80 g	405,0 cal.

ALIMENTO	TIPO	QTDE. PRÁTICA	MEDIDA	CALORIA
Salgadinho	batata Ruffles presunto	1 pacote	80 g	404,0 cal.
	Chee-Tos Bola	1 pacote	70 g	348,0 cal.
	Chee-Tos queijo	1 pacote	70 g	274,0 cal.
	Craklin Nabisco	1 pacote	50 g	245,0 cal.
	Doritos Elma Chips	1 pacote	100 g	477,0 cal.
	Doritos natural	1 pacote	100 g	459,0 cal.
	Doritos queijo	1 pacote	100 g	477,0 cal.
	Fandangos queijo	1 pacote	100 g	460,0 cal.
	Fandangos de milho	1 pacote	100 g	460,0 cal.
	Fritex Superondulada	1 pacote	100 g	415,0 cal.
	Mc Fritas	1 porção grande	————	395,0 cal.
	Mc Fritas	1 porção média	————	233,0 cal.
	Mc Fritas	1 porção peq.	————	171,0 cal.

ALIMENTO	TIPO	QTDE. PRÁTICA	MEDIDA	CALORIA
Salgadinho	ovinhos amendoim Fritex	1 pacote	200 g	894,0 cal.
	Pinats Otker amend.c/mel	1 pacote	150 g	819,0 cal.
	Pingo D'ouro Elma Chips	1 pacote	80 g	497,0 cal.
	pistache c/casca Otker	1 pacote	100 g	637,0 cal.
	Poffets queijo Elma Chips	1 pacote	55 g	297,0 cal.
	Pop Corn bacon Yoki	1 xícara	10 g	52,0 cal.
	Pop Corn manteiga Yoki	1 xícara	10 g	52,0 cal.
	Pop Corn queijo Yoki	1 xícara	10 g	52,0 cal.
	Snackitos bolas Fritex	1 pacote	70 g	310,0 cal.
	Snex pizza Fritex	1 pacote	60 g	265,0 cal.
	palitinhos Elma Chips	1 pacote	100 g	383,0 cal.
	Stiksy, Rold Gold assado	1 pacote	100 g	357,0 cal.
	Tostex, queijo Fritex	1 pacote	80 g	360,0 cal.

ALIMENTO	TIPO	QTDE. PRÁTICA	MEDIDA	CALORIA
Salgadinho	Tostex, presunto Fritex	1 pacote	80 g	360,0 cal.
Salmão	cozido	1 posta	100 g	181,7 cal.
	assado ou grelhado	1 posta	200 g	292,0 cal.
	salada	1 xícara	200 g	296,0 cal.
		1 colher sopa	25 g	37,0 cal.
	lata Coqueiro ao natural	1 lata	105 g	157,5 cal.
		1 colher sopa	25 g	37,5 cal.
Salpicão	frango	1 porção	100 g	32,5 cal.
	frango	1 colher sopa	25 g	130,0 cal.
Saquê	bebida alcoólica	1 cálice	30 ml	41,0 cal.
Salsa	fresca	1 colher sopa	10 g	4,3 cal.
Salsicha	comum	1 unidade	30 g	99,3 cal.
	de fígado de porco	1 unidade	30 g	86,4 cal.

ALIMENTO	TIPO	QTDE. PRÁTICA	MEDIDA	CALORIA
Salsicha	evasada, em conserva	1 unidade	30 g	54,7 cal.
	evasada, tipo frankfurt	1 unidade	30 g	57,3 cal.
	tipo bolonha	1 unidade	30 g	65,0 cal.
	tipo frankfurt cozida	1 unidade	30 g	74,4 cal.
	tipo frankfurt crua	1 unidade	30 g	75,6 cal.
	tipo viena enlatada	1 unidade	30 g	63,2 cal.
	Vienense	1 unidade	30 g	40,6 cal.
	Aurora	1 unidade	40 g	120,0 cal.
	Batavo	1 unidade	40 g	93,0 cal.
	cheese hot dog Sadia	1 unidade	50 g	135,0 cal.
	de chester Perdigão	1 unidade	30 g	106,0 cal.
	de frango Aurora	1 unidade	40 g	41,6 cal.
	de frango Seara	1 unidade	40 g	61,0 cal.

ALIMENTO	TIPO	QTDE. PRÁTICA	MEDIDA	CALORIA
Salsicha	frango T.Mônica Perdigão	1 unidade	30 g	106,0 cal.
	frita	1 unidade	30 g	269,0 cal.
	frankfurt Swift	1 unidade	30 g	48,0 cal.
	hot dog Júnior Sadia	1 unidade	30 g	138,0 cal.
	hot dog Sadia	1 unidade	50 g	136,4 cal.
	Max Dog Sadia	1 unidade	85 g	230,0 cal.
	de peru Califórnia Sadia	1 unidade	40 g	65,0 cal.
	Sadia	1 unidade	30 g	82,0 cal.
	Seara	1 unidade	30 g	75,0 cal.
	Viena Swift	1 unidade	40 g	49,5 cal.
Salsichão	comum	1 fatia	10 g	44,5 cal.
	duro	1 fatia	10 g	54,4 cal.
	Sadia	1 fatia	10 g	25,0 cal.

ALIMENTO	TIPO	QTDE. PRÁTICA	MEDIDA	CALORIA
Sanduíche	americano	1 unidade	150 g	458,0 cal.
	atum c/maionese	1 unidade	100 g	372,0 cal.
	beef cheddar	1 unidade	120 g	478,0 cal.
	beirute	1 unidade	400 g	584,0 cal.
	beirute de mignon	1 unidade	450 g	872,0 cal.
	Big Mc Donald's s/fritas	1 unidade	————————	590,0 cal.
	carne louca c/pão francês	1 unidade	70 g	313,0 cal.
	cach.quen.maion,vinagrete	1 unidade	70 g	624,0 cal.
	cachorro quente catchup	1 unidade	65 g	314,0 cal.
	cachorro quente mostarda	1 unidade	65 g	330,0 cal.
	cach. quen. most.,catch.	1 unidade	70 g	342,0 cal.
	cach. quen. most,cat.,bat.	1 unidade	85 g	479,0 cal.
	cach. quen. mos,cat,maion.	1 unidade	75 g	607,0 cal.

ALIMENTO	TIPO	QTDE. PRÁTICA	MEDIDA	CALORIA
Sanduíche	cach. quen. most,cat,purê	1 unidade	90 g	416,0 cal.
	cach. quen. salsicha/peru	1 unidade	65 g	213,0 cal.
	cach. quen. pão de leite	1 unidade	65 g	302,0 cal.
	Cheedar Mc Melt	1 unidade	----	550,0 cal.
	cheeseburger	1 unidade	125 g	310,0 cal.
	cheese salada	1 unidade	140 g	441,0 cal.
	cheese salada c/maionese	1 unidade	160 g	738,0 cal.
	chicken salada	1 unidade	150 g	292,0 cal.
	Classic Rost Beef	1 unidade	80 g	353,0 cal.
	frango c/maionese	1 unidade	80 g	299,0 cal.
	churrasquinho	1 unidade	90 g	374,0 cal.
	churrasquinho c/queijo	1 unidade	95 g	649,0 cal.
	hambúrguer	1 unidade	90,0 g	296,0 cal.

ALIMENTO	TIPO	QTDE. PRÁTICA	MEDIDA	CALORIA
Sanduíche	Júnior Rost Beef lingüiça	1 unidade	100 g	213,0 cal.
	Mc Bacon	1 unidade	———	410,0 cal.
	Mc Chicken	1 unidade	———	443,0 cal.
	Mc Fish	1 unidade	———	394,0 cal.
	misto quente	1 unidade	60 g	343,0 cal.
	mortadela	1 unidade	60 g	298,0 cal.
	peito de peru	1 unidade	60 g	220,0 cal.
	peito de peru Arby's	1 unidade	———	375,0 cal.
	presunto	1 unidade	60g	220,0 cal.
	quarteirão c/queijo	1 unidade	———	525,0 cal.
	queijo quente	1 unidade	60 g	353,0 cal.
	rosbife Arby's	1 unidade	———	353,0 cal.
	rosbife Arby's Júnior	1 unidade	———	220,0 cal.

ALIMENTO	TIPO	QTDE. PRÁTICA	MEDIDA	CALORIA
Sanduíche	de salada de ovos	1 unidade	60 g	290,0 cal.
	de salada de atum	1 unidade	70 g	270,0 cal.
	de salame	1 unidade	65 g	284,0 cal.
	Seid Salad Arby's	1 unidade	——	113,0 cal.
	super-rosbife Arby's	1 unidade	——	501,0 cal.
Sardinha	conserva /molho de tomate	1 sardinha	33 g	57,0 cal.
	conserva c/azeite	1 sardinha	33 g	98,3 cal.
	torta de	1 porção	150 g	342,0 cal.
	grelhada	1 sardinha	33 g	97,0 cal.
	frita	1 sardinha	33 g	109,2 cal.
	lata Ramirez c/azeite	1 lata	125 g	362,0 cal.
		1 sardinha	33 g	95,7 cal.
Sashimi	atum, namor., ling., nabo	1 porção	180 g	363,0 cal.

ALIMENTO	TIPO	QTDE. PRÁTICA	MEDIDA	CALORIA
Saquê	bebida alcoólica	1 cálice	70 ml	67,0 cal.
Sebo	animal	1 colher sopa	30 g	218,7 cal.
Seleta	legumes Cica	1 colher sopa	20 g	16,0 cal.
	legumes Jurema	1 colher sopa	20 g	15,2 cal.
	legumes c/milho Etti	1 colher sopa	20 g	16,4 cal.
Semente	abóbora torrada	2 colher sopa	30 g	130,0 cal.
	açafrão seca	1 colher sopa	4 g	24,6 cal.
	açafrão	1/2 xícara	100 g	355,0 cal.
	castanha-do-Maranhão	1 colher sopa	15 g	80,0 cal.
	gergelim seca	1 colher sopa	10 g	59,2 cal.
	girassol	1 colher sopa	5 g	29,2 cal.
	girassol seca	1 colher sopa	5 g	28,0 cal.
	girassol torrada	1 colher sopa	5 g	16,9 cal.

ALIMENTO	TIPO	QTDE. PRÁTICA	MEDIDA	CALORIA
Semente	pimentão	1 colher sopa	15 g	67,0 cal.
Sêmola	trigo crua	1/2 xícara	100 g	436,0 cal.
	trigo fervida	1/2 xícara	125 g	87,5 cal.
	milho	1/2 xícara	100 g	357,0 cal.
Semolina	trigo crua	1/2 xícara	100 g	339,1 cal.
	farinha de	1 colher sopa	15 g	70,0 cal.
Serralha	fresca	1 pires	100 g	19,0 cal.
Shake	baunilha	1 copo	300 ml	336,0 cal.
	baunilha Mc Donald's	1 copo peq.	———————-	290,0 cal.
	baun. D. Menor leite desn.	1 copo	300 ml	215,0 cal.
	chocolate	1 copo	300 ml.	380,0 cal.
	chocolate Mc Donald's	1 copo peq.	———————-	320,0 cal.
	choc. D.Menor c/leite desn	1 copo	300 ml	209,0 cal.

ALIMENTO	TIPO	QTDE. PRÁTICA	MEDIDA	CALORIA
Shake	chocolate Batavo	1 caixinha	200 ml	232,6 cal.
	coco Batavo	1 caixinha	200 ml	210,2 cal.
	Diet Shake	1 copo	250 ml	92,5 cal.
	mamão d.menor /leite desn.	1 copo	300 ml	214,0 cal.
	mor. D.Menor /leite desn.	1 copo	300 ml	215,0 cal.
	morango Mc Donald's . .	1 copo peq.	———————	320,0 cal.
	morango Nestlé	1 copo	300 ml	282,0 cal.
	morango Batavo	1 caixinha	200 ml	203,9 cal.
	pêssego Nestlé	1 copo	300 ml	282,0 cal.
Sherry	seco	1 taça	100 ml	120,0 cal.
	cremoso	1 taça	100 ml	148,0 cal.
Sidra	bebida alcoólica	1 taça	125 ml	75,0 cal.
Siri	carne	1 colher sopa	20 g	20,0 cal.

ALIMENTO	TIPO	QTDE. PRÁTICA	MEDIDA	CALORIA
Siri	conserva	1 colher sopa	20 g	20,2 cal.
	salgado	1 colher sopa	20 g	24,4 cal.
	casquinha	1 média	130 g	413,0 cal.
	Gomes da Costa (lata)	1 porção	100 g	39,0 cal.
		1 colher sopa	25 g	9,7 cal.
	bolinhos de	1 pequeno	30 g	85,0 cal.
	frito/frigideirada	1 porção	120 g	569,0 cal.
Shoyu	molho de soja	1 colher sopa	15 g	10,2 cal.
	Kinoko	1 colher sopa	15 g	9,0 cal.
	Sakura	1 colher sopa	15 g	8,0 cal.
Shopsuey	c/arroz	1 porção	100 g	170,0 cal.
Sobrecoxa	frango Sadia	1 unidade	100 g	229,0 cal.
	frango Seara (c/pele)	1 unidade	100 g	227,0 cal.

ALIMENTO	TIPO	QTDE. PRÁTICA	MEDIDA	CALORIA
Sobrecoxa	frango Seara (s/pele)	1 unidade	100 g	202,0 cal.
	frango (assada)	1 unidade	100 g	79,0 cal.
	frango (ao molho pardo)	1 unidade	100 g	103,0 cal.
	frango (frita)	1 unidade	100 g	94,0 cal.
Soja	crua	1 xícara	100 g	395,0 cal.
	cozida	1/2 xícara	85 g	136,0 cal.
	broto cru	1/2 xícara	80 g	47,0 cal.
	farinha industrializada	1/2 xícara	50 g	189,7 cal.
	leite industrializado	1 copo	250 ml	285,0 cal.
	leite em pó	1 colher sopa	25 g	107,2 cal.
	molho	1 colher sopa	15 g	10,2 cal.
	pão	1 fatia	25 g	70,7 cal.
	queijo	1 fatia	30 g	60,1 cal.

ALIMENTO	TIPO	QTDE. PRÁTICA	MEDIDA	CALORIA
Sonho	de geléia	1 unidade	50 g	171,0 cal.
	de creme	1 unidade	50 g	270,0 cal.
	geral	1 pequeno	20 g	135,0 cal.
	geral	1 grande	85 g	573,0 cal.
Sopa (Caseira)	abóbora	1 prato	250 ml	263,0 cal.
	abobrinha	1 prato	250 ml	207,0 cal.
	aipo	1 prato	250 ml	119,0 cal.
	agrião	1 prato	250 ml	88,0 cal.
	alcachofra	1 prato	250 ml	173,0 cal.
	aspargo	1 prato	250 ml	110,0 cal.
	aspargo (creme)	1 prato	250 ml	234,0 cal.
	batata (creme)	1 prato	250 ml	454,0 cal.
	beterraba	1 prato	250 ml	383,0 cal.

ALIMENTO	TIPO	QTDE. PRÁTICA	MEDIDA	CALORIA
Sopa (Caseira)	camarão	1 prato	250 ml	308,0 cal.
	canja de galinha	1 prato	250 ml	318,0 cal.
	caranguejo	1 prato	250 ml	288,0 cal.
	carne	1 prato	250 ml	170,5 cal.
	cebola	1 prato	250 ml	304,1 cal.
	cenoura	1 prato	250 ml	272,0 cal.
	cevada	1 prato	250 ml	262,0 cal.
	couve-flor	1 prato	250 ml	379,0 cal.
	ervilha	1 prato	250 ml	170,0 cal.
	escarola	1 prato	250 ml	156,0 cal.
	espinafre (creme)	1 prato	250 ml	198,2 cal.
	feijão branco	1 prato	250 ml	240,5 cal.
	galinha concentrada	1 prato	250 ml	76,0 cal.

ALIMENTO	TIPO	QTDE. PRÁTICA	MEDIDA	CALORIA
Sopa (Caseira)	grão-de-bico	1 prato	250 ml	361,0 cal.
	lentilha	1 prato	250 ml	325,0 cal.
	mandioca (creme)	1 prato	250 ml	238,0 cal.
	massas	1 prato	250 ml	253,7 cal.
	minestrone	1 prato	250 ml	256,0 cal.
	ostra	1 prato	250 ml	380,0 cal.
	palmito	1 prato	250 ml	124,0 cal.
	tartaruga	1 prato	250 ml	136,0 cal.
	tomate	1 prato	250 ml	136,5 cal.
	tomate cremosa	1 prato	250 ml	203,0 cal.
	vegetais	1 prato	250 ml	179,5 cal.
Sopa Industrial	alcachofra Parmalat	1 prato	250 ml	97,0 cal.
	aspargo lata Parmalat	1 prato	250 ml	102,0 cal.

ALIMENTO	TIPO	QTDE. PRÁTICA	MEDIDA	CALORIA
Sopa Industrial	brodo de carne Knorr	1 prato	250 ml	57,0 cal.
	brodo de carne Arisco	1 prato	250 ml	80,0 cal.
	brodo de galinha Knorr	1 prato	250 ml	58,0 cal.
	canjão de galinha Knorr	1 prato	250 ml	115,0 cal.
	canjão de galinha Arisco	1 prato	250 ml	121,0 cal.
	carne c/conchinhas Maggi	1 prato	250 ml	56,0 cal.
	carne espaguetinho Arisco	1 prato	250 ml	69,0 cal.
	carne espaguetinho Knorr	1 prato	250 ml	65,0 cal.
	carne espaguetinho Maggi	1 prato	250 ml	52,0 cal.
	cebola Arisco	1 prato	250 ml	80,0 cal.
	cebola Knorr	1 prato	250 ml	78,0 cal.
	cebola Maggi	1 prato	250 ml	61,0 cal.
	creme de aspargo Arisco	1 prato	250 ml	57,0 cal.

ALIMENTO	TIPO	QTDE. PRÁTICA	MEDIDA	CALORIA
Sopa Industrial	creme de aspargo Knorr	1 prato	250 ml	63,0 cal.
	creme de cebola Arisco	1 prato	250 ml	56,0 cal.
	creme de cebola Knorr	1 prato	250 ml	63,0 cal.
	creme de cebola Maggi	1 prato	250 ml	61,0 cal.
	creme champignon Maggi	1 prato	250 ml	65,0 cal.
	creme ervilha Arisco	1 prato	250 ml	81,0 cal.
	cr.ervilha c/bacon Arisco	1 prato	250 ml	97,0 cal.
	cr. ervilha c/bacon Maggi	1 prato	250 ml	60,0 cal.
	cr.ervilha c/bacon Knorr	1 prato	250 ml	77,0 cal.
	creme de ervilhas Maggi	1 prato	250 ml	64,0 cal.
	creme de espinafre Knorr	1 prato	250 ml	94,0 cal.
	creme de galinha Maggi	1 prato	250 ml	57,0 cal.
	creme de legumes Maggi	1 prato	250 ml	59,0 cal.

ALIMENTO	TIPO	QTDE. PRÁTICA	MEDIDA	CALORIA
Sopa Industrial	cr. milho verde Maggi	1 prato	250 ml	70,0 cal.
	creme de queijo Knorr	1 prato	250 ml	155,0 cal.
	Disney carne mand. Maggi	1 prato	250 ml	71,0 cal.
	ervilhas Parmalat	1 prato	250 ml	97,0 cal.
	feijão,macar.,couve Arisco	1 prato	250 ml	91,0 cal.
	Funghi em lata Parmalat	1 prato	250 ml	190,0 cal.
	galinha c/arroz Arisco	1 prato	250 ml	62,0 cal.
	galinha c/arroz Maggi	1 prato	250 ml	120,0 cal.
	galinha /conchinha Maggi	1 prato	250 ml	217,0 cal.
	galinha/espaguetinho Knorr	1 prato	250 ml	115,0 cal.
	galinha /fidelini Maggi	1 prato	250 ml	52,0 cal.
	galinha /macarr. legumes	1 prato	250 ml	112,0 cal.
	galinha Azul Maggi	1 prato	250 ml	60,0 cal.

ALIMENTO	TIPO	QTDE. PRÁTICA	MEDIDA	CALORIA
Sopa Industrial	minestrone Parmalat . . .	1 prato	250 ml	87,0 cal.
	Pintinho Azul Maggi . . .	1 prato	250 ml	60,0 cal.
	sopão car.macar.leg.Arisco	1 prato	250 ml	113,0 cal.
	sopão car.,legumes Knorr	1 prato	250 ml	87,0 cal.
	sopão car.,legumes Maggi	1 prato	250 ml	92,0 cal.
	sopão ervil.,macar.,Knorr	1 prato	250 ml	80,0 cal.
	sopão feijão Maggi . . .	1 prato	250 ml	124,0 cal.
	sopão feijão Arisco . . .	1 prato	250 ml	119,0 cal.
	sopão feijão, couve Knorr	1 prato	250 ml	180,0 cal.
	sopão galinha Arisco . . .	1 prato	250 ml	112,0 cal.
	sopão galin.,leg. Knorr .	1 prato	250 ml	171,0 cal.
	Zuppa di Faggioli Parmalat	1 prato	250 ml	217,0 cal.
Soro	leite desnatado	1/2 copo	125 ml	17,1 cal.

ALIMENTO	TIPO	QTDE. PRÁTICA	MEDIDA	CALORIA
Soro	creme de leite ácido	1/2 copo	125 ml	15,6 cal.
	creme de leite doce	1/2 copo	125 ml	17,4 cal.
Sorvete(Massa)	banana split	1 completa	250 g	843,0 cal.
	cestinha mor.,manga,pist.	1 cestinha	130 g	611,0 cal.
	chocolamour	1 taça	90 g	674,0 cal.
	colegial	1 taça	90 g	482,0 cal.
	Frozen Yogurte c/calda	1 taça	150 g	250,0 cal.
	Frozen Yogurte diet	1 taça	100 g	67,0 cal.
	nata diet morango	1 taça	90 g	320,0 cal.
	peach melba	1 taça	100 g	601,0 cal.
	sundae peq.	1 taça	90 g	616,0 cal.
	tropical	1/2 abacaxi	300 g	628,0 cal.
	Coupe Gourm.choc.Yopa	1 bola	40 g	82,0 cal.

ALIMENTO	TIPO	QTDE. PRÁTICA	MEDIDA	CALORIA
Sorvete(Massa)	Coupe Gourm.croc. Yopa	1 bola	40 g	78,0 cal.
	Coupe Gourm.iog. Yopa	1 bola	40 g	58,0 cal.
	Coupe Gourm.lim.Yopa	1 bola	40 g	58,0 cal.
	Coupe Gourm.pêss. Yopa	1 bola	40 g	74,0 cal.
	Coupe Gourm. pistc.Yopa	1 bola	40 g	90,0 cal.
	Milky Diet Line chocolate	1 bola	40 g	46,0 cal.
	Milky Diet Line coco	1 bola	40 g	48,0 cal.
	Milky Diet Line creme	1 bola	40 g	38,0 cal.
	Milky Diet Line morango	1 bola	40 g	48,0 cal.
	Yopa abacaxi	1 bola	40 g	76,0 cal.
	Yopa brigadeiro	1 bola	40 g	75,6 cal.
	Yopa chocolate	1 bola	40 g	76,8 cal.
	Yopa choc.,creme,mor.	1 bola	40 g	74,8 cal.

ALIMENTO	TIPO	QTDE. PRÁTICA	MEDIDA	CALORIA
Sorvete(Massa)	Yopa coco	1 bola	40 g	74,8 cal.
	Yopa creme	1 bola	40 g	76,4 cal.
	Yopa crocante	1 bola	40 g	81,6 cal.
	Yopa flocos	1 bola	40 g	82,0 cal.
	Yopa Galak	1 bola	40 g	84,4 cal.
	Yopa limão	1 bola	40 g	61,6 cal.
	Yopa manga	1 bola	40 g	56,4 cal.
	Yopa morango	1 bola	40 g	71,6 cal.
	Yopa pêssego	1 bola	40 g	73,6 cal.
	Yopa rum c/passas	1 bola	40 g	72,8 cal.
	Yopa morango	1 bola	40 g	71,6 cal.
	Dietético Linea morango	1 bola	40 g	32,0 cal.
	napolitano Diet Kibon	1 bola	40 g	53,0 cal.

ALIMENTO	TIPO	QTDE. PRÁTICA	MEDIDA	CALORIA
Steak	frango empanado Perdigão	1 unidade	100 g	267,0 cal.
	frango Sadia	1 unidade	100 g	224,0 cal.
	T-Bone	1 unidade	160 g	300,0 cal.
	T-Bone madeira A'd'óro	1 unidade	100 g	126,0 cal.
	molho madeira Sadia	1 unidade	100 g	128,0 cal.
	à suíça Perdigão	1 caixa	550 g	1309,0 cal.
		1 porção	225 g	654,5 cal.
Suco Natural	abacaxi	1 copo	250 ml	135,0 cal.
	açaí	1 copo	250 ml	456,0 cal.
	acerola	1 copo	250 ml	50,0 cal.
	ameixa	1 copo	250 ml	197,0 cal.
	caju	1 copo	250 ml	130,5 cal.
	carambola	1 copo	250 ml	38,5 cal.

ALIMENTO	TIPO	QTDE. PRÁTICA	MEDIDA	CALORIA
Suco Natural	cenoura	1 copo	250 ml	72,9 cal.
	cereja	1 copo	250 ml	118,0 cal.
	cupuaçu	1 copo	250 ml	75,0 cal.
	framboesa	1 copo	250 ml	79,2 cal.
	grape-fruit	1 copo	250 ml	109,7 cal.
	graviola	1 copo	250 ml	270,0 cal.
	groselha	1 copo	250 ml	105,0 cal.
	jabuticaba concentrado	1/2 copo	125 ml	58,5 cal.
	kiwi	1 copo	250 ml	95,8 cal.
	laranja	1 copo	250 ml	141,2 cal.
	lima	1 copo	250 ml	92,5 cal.
	limão	1/4 copo	62,5 ml	45,0 cal.
	limonada	1 copo	250 ml	260,0 cal.

ALIMENTO	TIPO	QTDE. PRÁTICA	MEDIDA	CALORIA
Suco Natural	maçã	1 copo	250 ml	124,5 cal.
	melancia	1 copo	250 ml	79,1 cal.
	melão	1 copo	250 ml	85,0 cal.
	milho verde	1 copo	250 ml	282,5 cal.
	morango	1 copo	250 ml	49,2 cal.
	pêssego	1 copo	250 ml	39,5 cal.
	romã	1 copo	250 ml	122,2 cal.
	tomate	1 copo	250 ml	27,5 cal.
	toranja concentrado	1/2 copo	125 ml	30,0 cal.
	uva	1 copo	250 ml	154,0 cal.
	maçã e morango	1 copo	250 ml	105,0 cal.
	melão c/cenoura	1 copo	250 ml	90,0 cal.
Suco Industr.	Clight abacaxi	1 copo	240 ml	1,0 cal.

ALIMENTO	TIPO	QTDE. PRÁTICA	MEDIDA	CALORIA
Suco Industr.	Clight carambola	1 copo	240 ml	1,0 cal.
	Clight laranja	1 copo	240 ml	2,0 cal.
	Clight lima limão	1 copo	240 ml	1,0 cal.
	Clight maçã verde	1 copo	240 ml	1,0 cal.
	Clight maracujá	1 copo	240 ml	2,0 cal.
	Clight tangerina	1 copo	240 ml	1,0 cal.
	Fresh laranja	1 copo	240 ml	14,0 cal.
	Fresh lima limão	1 copo	240 ml	14,0 cal.
	Fresh maracujá	1 copo	240 ml	14,0 cal.
	Fresh morango	1 copo	240 ml	14,0 cal.
	Frisco abacaxi	1 copo	240 ml	110,0 cal.
	Frisco maracujá	1 copo	240 ml	110,0 cal.
	Frisco morango	1 copo	240 ml	110,0 cal.

ALIMENTO	TIPO	QTDE. PRÁTICA	MEDIDA	CALORIA
Suco Industr.	Frisco pêssego	1 copo	240 ml	110,0 cal.
	Frisco tangerina	1 copo	240 ml	110,0 cal.
	Frutess Mix laran. Nestlé	1 copo	240 ml	149,0 cal.
	Frutess Mix marac. Nestlé	1 copo	240 ml	160,0 cal.
	La Violetera damasco	1 copo	240 ml	133,8 cal.
	polpa de abacaxi Maísa	1/2 copo	120 ml	60,0 cal.
	polpa de goiaba Maísa	1/2 copo	120 ml	62,4 cal.
	polpa de graviola Maísa	1/2 copo	120 ml	72,0 cal.
	polpa de manga Maísa	1/2 copo	120 ml	76,8 cal.
	polpa de maracujá Maísa	1/2 copo	120 ml	140,4 cal.
	polpa de pitanga Maísa	1/2 copo	120 ml	55,2 cal.
	polpa de tangerina Maísa	1/2 copo	120 ml	51,6 cal.
	polpa de uva Maísa	1/2 copo	120 ml	73,2 cal.

ALIMENTO	TIPO	QTDE. PRÁTICA	MEDIDA	CALORIA
Suco Industr.	Santal abacaxi	1 copo	200 ml	75,0 cal.
	Santal laranja	1 copo	200 ml	68,0 cal.
	Santal uva	1 copo	200 ml	146,0 cal.
	abacaxi Maguary	1/3 copo	67 ml	24,0 cal.
	acerola Maguary	1/3 copo	67 ml	9,0 cal.
	caju Maguary	1/3 copo	67 ml	10,0 cal.
	goiaba Maguary	1/3 copo	67 ml	14,0 cal.
	manga Maguary	1/3 copo	67 ml	28,0 cal.
	maracujá Maguary	1/3 copo	67 ml	10,0 cal.
	pitanga Maguary	1/3 copo	67 ml	16,0 cal.
	uva Maguary	1/3 copo	67 ml	38,0 cal.
	maçã pronto Maguary	1 unidade	250 ml	124,0 cal.
	morango pronto Maguary	1 unidade	250 ml	117,0 cal.

ALIMENTO	TIPO	QTDE. PRÁTICA	MEDIDA	CALORIA
Suco Industr.	uva pronto Maguary	1 unidade	250 ml	154,0 cal.
	ameixa concentr. lata	1/3 copo	67 ml	79,0 cal.
	laranja concentr. lata	1/3 copo	67 ml	171,0 cal.
	laranja integral Swift	1 copo	200 ml	96,0 cal.
	goiaba Milani	1/3 copo	67 ml	18,0 cal.
	tomate Milani	1 copo	250 ml	65,0 cal.
	tomate Superbon	1 copo	250 ml	60,0 cal.
	Tang abacaxi	1 copo	200 ml	32,9 cal.
	Tang acerola	1 copo	200 ml	32,0 cal.
	Tang laranja	1 copo	200 ml	30,4 cal.
	Tang limão	1 copo	200 ml	29,3 cal.
	Tang maracujá	1 copo	200 ml	29,8 cal.
	Tang tangerina	1 copo	200 ml	29,4 cal.

ALIMENTO	TIPO	QTDE. PRÁTICA	MEDIDA	CALORIA
Suco Industr.	Tang uva	1 copo	200 ml	32,8 cal.
	Tang Mix laranja e manga	1 copo	200 ml	32,0 cal.
	Tang Mix laranja e mamão	1 copo	200 ml	31,0 cal.
	Tang Mix laranja e mor.	1 copo	200 ml	30,0 cal.
	Tang Mix laranja e pes.	1 copo	200 ml	30,0 cal.
	Tonyu abacaxi	1 caixa	200 ml	132,0 cal.
	Tonyu maçã	1 caixa	200 ml	119,0 cal.
	Tonyu maracujá	1 caixa	200 ml	120,0 cal.
	Tonyu morango	1 caixa	200 ml	113,0 cal.
Suflê	camarão	1 colher sopa	33,3 g	98,6 cal.
	chocolate	1 pires	100 g	90,0 cal.
	legumes	1 colher sopa	30 g	38,1 cal.
	queijo	1 colher sopa	30 g	65,4 cal.

ALIMENTO	TIPO	QTDE. PRÁTICA	MEDIDA	CALORIA
Suspiro	caseiro	1 grande	0,07 g	75,0 cal.
		1 pequeno	0,03 g	15,0 cal.

LETRA T

ALIMENTO	TIPO	QTDE. PRÁTICA	MEDIDA	CALORIA
Tabule	pronto	1 colher sopa	20 g	52,0 cal.
Tagliatelle	massa sem molho (Divella)	1 prato	100 g	400,0 cal.
Tahine	pasta gergelim (Istambul)	1 colher sopa	25 g	160,0 cal.
Tainha	cozida	1 posta	100 g	204,0 cal.
	em conserva	1 posta	100 g	144,8 cal.
Talharim	fresco Frescarini	1 prato	160 g	456,0 cal.
	bolonhesa Nissin	1 pacote	100 g	521,0 cal.
	carne c/tomate Nissin	1 pacote	100 g	522,0 cal.
	galinha caipira	1 pacote	100 g	525,0 cal.
	queijo Nissin	1 pacote	100 g	519,0 cal.
	frango Nissin	1 pacote	100 g	521,0 cal.
	brócolis ao molho branco	1 pacote	100 g	469,0 cal.
	pronto na manteiga	1 prato	160 g	532,0 cal.

ALIMENTO	TIPO	QTDE. PRÁTICA	MEDIDA	CALORIA
Talharim	à italiana 7 Day Diet . . .	1 pacote	59 g	210,0 cal.
	à napolitana	1 prato	160 g	461,0 cal.
	verde c/funghi	1 prato	160 g	543,0 cal.
Tâmara	natural	5 unidades	100 g	177,6 cal.
	seca	1 xícara chá	150 g	474,0 cal.
Tamarindo	polpa	1/2 xícara	100 g	231,6 cal.
Tangerina	natural	1 unidade	100 g	50,0 cal.
	casca	1 pires	100 g	97,0 cal.
	suco	1 copo	250 ml	107,7 cal.
Tapioca	bolo	1 fatia	60 g	201,6 cal.
	cuscuz	1 fatia	180 g	446,4 cal.
	pronta c/coco	1 unidade	50 g	168,0 cal.
Tartaruga	do mar (crua)	1 porção	100 g	84,0 cal.

ALIMENTO	TIPO	QTDE. PRÁTICA	MEDIDA	CALORIA
Tartaruga	do mar (evasada)	1 porção	100 g	100,0 cal.
	do rio (crua)	1 porção	100 g	116,0 cal.
	do rio (salgada)	1 porção	100 g	208,0 cal.
	sopa de	1 porção	100 g	136,0 cal.
Tatu	carne crua	1 porção	100 g	172,0 cal.
Tempero	Refoga Tudo cebola Maggi	1 tablete	12 g	30,0 cal.
	Tempera Tudo alho e sal	1 colher chá	6 g	1,0 cal.
	Tempera Tudo c/pim.	1 colher chá	6 g	3,0 cal.
	Tempera Tudo s/pim.	1 colher chá	6 g	4,0 cal.
	Tempera Tudo pó c/pimen.	1 colher chá	6 g	8,0 cal.
	Tempera Tudo pó s/pimen.	1 colher chá	6 g	7,0 cal.
	Tempera Tudo pó, sal,alho	1 colher chá	6 g	10,0 cal.
	p/moqueca Maggi	1 tablete	12 g	72,0 cal.

ALIMENTO	TIPO	QTDE. PRÁTICA	MEDIDA	CALORIA
Tempero	Refoga Fácil Knorr	1 tablete	11 g	39,0 cal.
	p/feijão Knorr	1 tablete	12 g	37,0 cal.
	Fondor Maggi	1 colher chá	6 g	9,0 cal.
	caseiro Arisco	1 colher chá	10 g	8,0 cal.
Tender	s/assar	4 fatias	100 g	210,0 cal.
	assado	4 fatias	100 g	250,5 cal.
	Ball Sadia	4 fatias	100 g	123,0 cal.
	bolinha Seara	4 fatias	100 g	92,0 cal.
	Réveillon Sadia	4 fatias	100 g	123,0 cal.
	semidesossado Sadia	4 fatias	100 g	155,0 cal.
	tenro mini Sadia	4 fatias	100 g	123,0 cal.
	tenro Sadia	4 fatias	100 g	124,0 cal.
Teppanyake	pronto	1 porção	120 g	321,0 cal.

ALIMENTO	TIPO	QTDE. PRÁTICA	MEDIDA	CALORIA
Terrine	frango	1 unidade	100 g	184,0 cal.
	milho	1 unidade	100 g	146,0 cal.
	salmão	1 unidade	100 g	144,0 cal.
Testículo	de boi (cru)	1 porção	100 g	76,0 cal.
Tiramissu	doce	1 fatia	100 g	254,0 cal.
Toddy	pó	1 colher sopa	6 g	24,0 cal.
	Toddynho longa vida	1 caixa	200 ml	200,0 cal.
Tofu	queijo de soja	1 porção	50 g	68,0 cal.
Tomate	maduro	1 unidade	80 g	16,0 cal.
	verde	1 unidade	80 g	20,0 cal.
	francês	1 unidade	80 g	23,2 cal.
	morango	1 unidade	80 g	48,0 cal.
	cereja	1 unidade	10 g	4,0 cal.

ALIMENTO	TIPO	QTDE. PRÁTICA	MEDIDA	CALORIA
Tomate	cozido	1 unidade	80 g	14,4 cal.
	doce	1 colher sopa	20 g	30,0 cal.
	evasado	1 tomate	80 g	16,0 cal.
	inteiro em conserva	1 tomate	80 g	21,5 cal.
	extrato Cica	1 copo	190 g	127,3 cal.
		1 colher sopa	25 g	16,7 cal.
	extrato Arisco	1 caixa	140 g	97,7 cal.
		1 colher sopa	25 g	17,4 cal.
	massa	1 colher sopa	25 g	9,7 cal.
	s/pele Parmalat	1 lata	415 g	83,0 cal.
	suco natural	1 copo	250 ml	27,5 cal.
	suco evasado	1 copo	250 ml	60,0 cal.
	suco Milani	1 copo	250 ml	65,0 cal.

ALIMENTO	TIPO	QTDE. PRÁTICA	MEDIDA	CALORIA
Tomate	suco Superbon	1 copo	250 ml	60,0 cal.
	seco	1 unidade	50 g	17,0 cal.
	assado c/queijo	1 porção	120 g	176,0 cal.
	japonês à milanesa	1 porção	100 g	184,0 cal.
	molho de (caseiro)	1 colher sopa	20 g	8,0 cal.
	catchup de (caseiro)	1 colher sopa	15 g	19,3 cal.
	sopa de	1 prato	250 g	136,5 cal.
	em flocos	1 colher sopa	15 g	59,6 cal.
	à bolonhesa Cica	1 colher sopa	20 g	23,0 cal.
	à bolonhesa Nestlé	1 colher sopa	20 g	17,0 cal.
	ao sugo Cica	1 colher sopa	20 g	18,0 cal.
	ao sugo Maggi	1 colher sopa	15 g	12,0 cal.
	à bolonhesa Maggi	1 colher sopa	20 g	19,0 cal.

ALIMENTO	TIPO	QTDE. PRÁTICA	MEDIDA	CALORIA
Tomate	calabresa Maggi	1 colher sopa	20 g	22,0 cal.
	peperone Maggi	1 colher sopa	15 g	10,0 cal.
	pizza Cica	1 colher sopa	20 g	18,0 cal.
	pizza Maggi	1 colher sopa	15 g	12,0 cal.
	pizza Nestlé	1 colher sopa	20 g	15,0 cal.
	Pomarola tradicional	1 colher sopa	15 g	8,0 cal.
	recheado c/siri	1 unidade	80 g	144,0 cal.
	refogado peneir. Maggi	1 colher sopa	15 g	11,0 cal.
	refogado peneir. Nestlé	1 colher sopa	15 g	12,0 cal.
	refogado tradic. Maggi	1 colher sopa	15 g	10,0 cal.
	refogado tradic. Nestlé	1 colher sopa	15 g	12,0 cal.
	Tomato Arisco	1 colher sopa	15 g	10,0 cal.
Toranja	natural	1 unidade	140 g	59,3 cal.

ALIMENTO	TIPO	QTDE. PRÁTICA	MEDIDA	CALORIA
Toranja	suco concentrado de	1/2 copo	125 ml	30,0 cal.
	suco de (enlatado)	1/2 copo	125 ml	25,1 cal.
Torrada	caseira	1 unidade	20 g	62,5 cal.
	Bi-Tost Bauduco	1 unidade	7,2 g	64,0 cal.
	Bi-Tost calabresa	1 unidade	3,2 g	12,0 cal.
	Bi-Tost pizza	1 unidade	3,2 g	13,0 cal.
	Bi-Tost sal	1 unidade	7,2 g	34,0 cal.
	Bauduco calabr./cebola	1 unidade	3,2 g	12,0 cal.
	Bauduco centeio	1 unidade	7,2 g	34,0 cal.
	Bauduco c/fibras	1 unidade	7,2 g	33,0 cal.
	Bauduco c/glúten	1 unidade	7'2 g	35,0 cal.
	Bauduco integral	1 unidade	7,2 g	34,0 cal.
	Bauduco levemente doce	1 unidade	7,2 g	35,0 cal.

ALIMENTO	TIPO	QTDE. PRÁTICA	MEDIDA	CALORIA
Torrada	Bauduco provol./cebolinha	1 unidade	3,2 g	13,0 cal.
Torresmo	pronto	1 porção	100 g	540,0 cal.
Torta Doce	abacaxi	1 fatia	100 g	206,0 cal.
	abóbora	1 fatia	75 g	154,8 cal.
	ameixa fresca	1 fatia	100 g	300,0 cal.
	amora	1 fatia	100 g	243,1 cal.
	avelã	1 fatia	100 g	403,0 cal.
	batata doce	1 fatia	100 g	213,7 cal.
	banana assada	1 fatia	100 g	464,0 cal.
	banana c/creme	1 fatia	50 g	353,0 cal.
	banana Mc Donald's	1 unidade	———	209,0 cal.
	caramelo	1 unidade	100 g	269,2 cal.
	castanha	1 fatia	100 g	388,0 cal.

ALIMENTO	TIPO	QTDE. PRÁTICA	MEDIDA	CALORIA
Torta Doce	cereja	1 fatia	100 g	259,4 cal.
	chocolate	1 fatia	100 g	328,1 cal.
	coco	1 fatia	100 g	235,4 cal.
	coco c/creme	1 fatia	100 g	365,0 cal.
	damasco	1 fatia	100 g	294,0 cal.
	figo	1 fatia	100 g	548,0 cal.
	framboesa	1 fatia	100 g	559,0 cal.
	frutas cristalizadas	1 fatia	100 g	270,3 cal.
	goiaba	1 fatia	100 g	543,0 cal.
	jabuticaba	1 fatia	100 g	276,0 cal.
	laranja	1 fatia	100 g	373,0 cal.
	limão c/suspiro	1 fatia	100 g	444,0 cal.
	maçã	1 fatia	100 g	251,9 cal.

ALIMENTO	TIPO	QTDE. PRÁTICA	MEDIDA	CALORIA
Torta Doce	maçã Mac Donald's	1 unidade		241,0 cal.
	morango	1 fatia	100 g	220,5 cal.
	mousse de chocolate	1 fatia	100 g	328,0 cal.
	passas	1 fatia	100 g	270,8 cal.
	pecã	1 fatia	100 g	415,2 cal.
	pêra c/chantili	1 fatia	100 g	545,0 cal.
	ricota	1 fatia	100 g	219,0 cal.
	sorvete Noblesse Yopa	1 fatia	100 g	185,0 cal.
	merengue de limão	1 fatia	100 g	313,0 cal.
	tortinha de morango	1 unidade	50 g	246,0 cal.
Torta Salgada	abobrinha	1 fatia	100 g	206,0 cal.
	camarão	1 fatia	100 g	404,6 cal.
	cebola	1 fatia	50 g	95,0 cal.

ALIMENTO	TIPO	QTDE. PRÁTICA	MEDIDA	CALORIA
Torta Salgada	frango	1 fatia	100 g	288,8 cal.
	frango c/catupiry	1 fatia	100 g	330,0 cal.
	palmito	1 fatia	100 g	327,0 cal.
	peixe	1 fatia	100 g	420,0 cal.
	queijo	1 fatia	100 g	230,0 cal.
	tomate	1 fatia	100 g	208,0 cal.
	mil-folhas Arosa	1 unidade	405 g	1985,0 cal.
	tortinha frango Sadia	1 unidade	150 g	154,0 cal.
	tortinha folheado Arosa	1 unidade	40 g	31,0 cal.
Tortelini	carne	1 prato	250 g	931,0 cal.
		1 colher sopa	30 g	111,7 cal.
Tracajá	carne crua	1 porção	100 g	82,0 cal.
	carne-seca	1 porção	100 g	266,0 cal.

ALIMENTO	TIPO	QTDE. PRÁTICA	MEDIDA	CALORIA
Tremoço	amarelo (cru)	1 porção	100 g	382,0 cal.
	amarelo (cozido)	1 porção	100 g	88,5 cal.
		1 colher sopa	25 g	22,1 cal.
Trigo	puro	1/2 xícara	66,5 g	241,8 cal.
	integral	1/2 xícara	70 g	233,3 cal.
	duro, grão inteiro	1/2 xícara	60 g	212,2 cal.
	duro flocos	1/2 xícara	60 g	217,1 cal.
	gérmen de	1/2 xícara	60 g	220,1 cal.
	farelo	1/2 xícara	60 g	186,0 cal.
	cozido	1/2 xícara	100 g	103,0 cal.
	bolo	1 fatia	60 g	203,4 cal.
Triguilho	cozido	1 xícara	180 g	150,0 cal.
		1 colher sopa	30 g	24,9 cal.

ALIMENTO	TIPO	QTDE. PRÁTICA	MEDIDA	CALORIA
Tripa	de boi (crua)	1 porção	100 g	94,0 cal.
	de boi (cozida)	1 porção	100 g	58,4 cal.
Tropic	cereal (Kellogg's)	1 xícara	30 g	120,0 cal.
Trufa	caseira	1 unidade	20 g	17,6 cal.
Truta	em conserva	1 posta	100 g	145,0 cal.
	assada	1 posta	100 g	189,0 cal.
	defumada	1 posta	100 g	120,0 cal.
	c/amêndoa	1 posta	100 g	236,8 cal.
Tubarão	cru	1 posta	100 g	293,4 cal.
Tubelle	de peito de frango Seara	1 fatia	5,5 g	6,2 cal.
Tuna	peixe (enlatado)	1 porção	100 g	283,0 cal.
		1 colher sopa	25 g	70,5 cal.
Tutano	de boi	1 porção	200 g	785,0 cal.

ALIMENTO	TIPO	QTDE. PRÁTICA	MEDIDA	CALORIA
Tutano		1 colher sopa	25 g	98,1 cal.
Tutu	de feijão	1 porção	100 g	114,0 cal.
		1 colher sopa	25 g	28,5 cal.

LETRA U

ALIMENTO	TIPO	QTDE. PRÁTICA	MEDIDA	CALORIA
Úbere	de vaca (cru)	1 porção	100 g	229,9 cal.
Urucum	polpa	1 pires	100 g	50,1 cal.
	dessecado	1 pires	50 g	157,3 cal.
Uva	branca nacional, polpa	15 bagos	100 g	68,0 cal.
	branca em conserva	1 xícara	100 g	51,0 cal.
		16 bagos	60 g	30,6 cal.
	branca em conserva xarope	1/2 xícara	80 g	61,6 cal.
		16 bagos	60 g	46,2 cal.
	tipo americano	15 bagos	100 g	78,0 cal.
	tipo europeu	15 bagos	100 g	79,0 cal.
	Itália	1 cacho	476 g	338,0 cal.
		12 bagos	60 g	42,6 cal.
	rosada	15 bagos	100 g	59,3 cal.

ALIMENTO	TIPO	QTDE. PRÁTICA	MEDIDA	CALORIA
Uva	passa	1 colher sopa	20 g	60,0 cal.
	suco de	1 copo	250 ml	154,0 cal.
	doce em pasta	1 colher sopa	20 g	43,0 cal.
	geléia	1 colher sopa	50 g	136,3 cal.
Uísque	bebida alcoólica	1 dose	50 ml	120,0 cal.

LETRA V

ALIMENTO	TIPO	QTDE. PRÁTICA	MEDIDA	CALORIA
Vagem	comum (crua)	1 pires	100 g	42,0 cal.
	comum (em conserva)	1 pires	100 g	18,0 cal.
	metro ou corda (crua)	1 pires	100 g	34,0 cal.
	cozida	1 pires	100 g	52,0 cal.
	refogada	1 pires	100 g	99,0 cal.
		1 colher sopa	25 g	24,7 cal.
Vatapá	pronto	1 concha	200 g	252,0 cal.
		1 colher sopa	40 g	50,4 cal.
Veado	cru	4 fatias	100 g	134,0 cal.
Vermelho	peixe assado ou grelhado	1 filé	100 g	130,0 cal.
	recheado	1 porção	200 g	470,0 cal.
	na folha de bananeira	1 porção	200 g	377,2 cal.
Vermute	branco doce	1 cálice	100 ml	64,0 cal.

ALIMENTO	TIPO	QTDE. PRÁTICA	MEDIDA	CALORIA
Vermute	branco seco	1 cálice	100 ml	74,0 cal.
	doce	1 cálice	100 ml	167,0 cal.
	seco	1 cálice	100 ml	105,0 cal.
	Martini	1 copo próprio	85 ml	200,0 cal.
Vieiras	peixe cozido	1 porção	100 g	112,0 cal.
		1 unidade	7 g	7,8 cal.
	à provençal	1 porção	110 g	289,0 cal.
Vinagre	geral	1 colher sopa	10 ml	2,0 cal.
	branco ou tinto Etti	1 colher sopa	10 ml	1,4 cal.
Vinagrete	caseiro	1 colher sopa	15 ml	15,0 cal.
Vinho	geral	1 taça	100 ml	85,0 cal.
	branco doce	1 taça	100 ml	142,0 cal.
	branco seco	1 taça	100 ml	85,0 cal.

ALIMENTO	TIPO	QTDE. PRÁTICA	MEDIDA	CALORIA
Vinho	de jenipapo	1 taça	100 ml	269,0 cal.
	de maçã	1 taça	100 ml	32,0 cal.
	moscatel	1 taça	100 ml	137,0 cal.
	rosé	1 taça	100 ml	74,0 cal.
	tinto doce	1 taça	100 ml	88,0 cal.
	tinto seco	1 taça	100 ml	81,0 cal.
	licoroso	1 taça	100 ml	140,0 cal.
	de mesa	1 taça	100 ml	85,0 cal.
	verde	1 cálice	80 ml	85,0 cal.
	do porto	1 cálice	80 ml	200,0 cal.
Vísceras	salgadas	1 porção	100 g	240,0 cal.
Vitamina	abacate, banana e maçã	1 copo c/leite	250 ml	248,9 cal.
	abacate, banana e maçã	1 copo s/leite	250 ml	210,4 cal.

ALIMENTO	TIPO	QTDE. PRÁTICA	MEDIDA	CALORIA
Vitamina	banana, mamão e laranja	1 copo s/leite	250 ml	164,5 cal.
	laranja, maçã e pêssego	1 copo s/leite	250 ml	157,2 cal.
	laranja, mamão e goiaba	1 copo s/leite	250 ml	167,7 cal.
	moran. c/leite desn. s/açúc.	1 copo	250 ml	129,1 cal.
Vitela	magra assada	1 porção	70 g	161,3 cal.
	magra cozida	1 porção	70 g	101,5 cal.
	sem osso guizada	1 porção	70 g	38,8 cal.
Vodca	bebida alcoólica	1 cálice	30 ml	72,0 cal.

LETRA W

ALIMENTO	TIPO	QTDE. PRÁTICA	MEDIDA	CALORIA
Wafer	Amandita	1 unidade	8,0 g	43,0 cal.
	Amandita Carinho	1 unidade	5,6 g	30,0 cal.
	baunilha c/choc. Tostines	1 unidade	10 g	105,0 cal.
	baunilha São Luiz	1 unidade	10 g	52,0 cal.
	baunilha Todeschini	1 unidade	10 g	40,0 cal.
	Bis Lacta	1 unidade	7,5 g	39,0 cal.
	chocolate Bauduco	1 unidade	10 g	41,0 cal.
	chocolate São Luiz	1 unidade	10 g	51,0 cal.
	chocolate Todeschini	1 unidade	10 g	40,0 cal.
	chocolate Tostines	1 unidade	10 g	55,0 cal.
	doce de leite São Luiz	1 unidade	10 g	52,0 cal.
	coco Lacta Mirabel	1 pacote	50 g	248,0 cal.
	limão Lacta Mirabel	1 pacote	50 g	247,0 cal.

ALIMENTO	TIPO	QTDE. PRÁTICA	MEDIDA	CALORIA
Wafer	morango Lacta Mirabel	1 pacote	50 g	247,0 cal.
	morango São Luiz	1 unidade	10 g	48,0 cal.
	morango Todeschini	1 unidade	10 g	40,0 cal.
	morango Tostines	1 unidade	10 g	55,0 cal.
	nozes Bauduco	1 unidade	10 g	43,0 cal.
	Ovomaltine Bauduco	1 unidade	10 g	39,0 cal.
	Tubetes baunilha Barion	1 unidade	3 g	4,0 cal.
	Tubetes c/chocol. Barion	1 unidade	3 g	5,0 cal.
Waffles	receita caseira	1 unidade	75 g	210,0 cal.
	de batata	1 unidade	100 g	321,0 cal.
	s/xarope	1 unidade	60 g	171,0 cal.
Whisky	bebida alcoólica	1 dose	50 ml	120,0 cal.

LETRA X

ALIMENTO	TIPO	QTDE. PRÁTICA	MEDIDA	CALORIA
Xarope	chocolate	1 colher sopa	15 ml	36,0 cal.
	framboesa	1 colher sopa	15 ml	39,0 cal.
	groselha	1 colher sopa	15 ml	37,0 cal.
	milho	1 colher sopa	15 ml	42,9 cal.
	cana	1 colher sopa	20 ml	52,0 cal.

LETRA Y

ALIMENTO	TIPO	QTDE. PRÁTICA	MEDIDA	CALORIA
Yakimeshi	comida chinesa	1 prato	250 g	261,6 cal.
Yakissoba	comida chinesa	1 prato	250 g	376,5 cal.

LETRA Z

ALIMENTO	TIPO	QTDE. PRÁTICA	MEDIDA	CALORIA
Zuccotto	sobremesa	1 porção	80 g	335,0 cal.
		1 colher sobremesa	15 g	62,8 cal.

BIN TRAVERLER FORM

Cut By: Joso Franco Qty 39 Date 09-29-26

Scanned By: __________ Qty ______ Date ______

Scanned Batch ID's

__________ __________ __________

Notes / Exceptions

____